COACHING
EL ARTE DE SOPLAR BRASAS

Leonardo Wolk

COACHING

EL ARTE DE SOPLAR BRASAS

Colofón por Rafael Echeverría

granAldea EDITORES

Wolk, Leonardo
Coaching : el arte de soplar brasas - 10a reimp. - Buenos Aires : Gran Aldea Editores - GAE, 2020.
224 p. ; 23x16 cm.

ISBN 978-987-98678-3-9

1. Coaching-Administración. I. Título
CDD 658.409 1

Diseño de tapa: Michelle Kenigstein
Cuidado de la edición: Estela Falicov
Gestión editorial: Carolina Kenigstein

1ª edición: octubre de 2003
11ª edición: agosto de 2020

ISBN: 978-987-98678-3-9

Tel.: (5411) 4585-2241
info@granaldeaeditores.com.ar
www.granaldeaeditores.com.ar

Hecho el depósito que establece la ley 11.723

A Diego y Fernando, mis hijos,
con quienes aprendí a conjugar el verbo amar.

Agradecimientos

Este texto es el resultado no sólo de estudios académicos, sino también de la experiencia y el peregrinaje de muchos años. En mi travesía hubo infinidad de guías, acompañantes, aliados y desafíos. Cada uno de ellos dejó en mí su impronta y aprendizaje.

A mi padre y su nobleza, a mi madre y sus ganas de vivir, a mis hermanas.

A Celia Riskin, a quien admiro profesional y humanamente; entrañable compañera de senderos, de sueños, de vida, quien posee la profunda habilidad de ver más allá de mis máscaras.

A las instituciones, empresas y organizaciones y las personas que las conforman, que confiaron en mí, dándome la oportunidad de compartir aprendizajes.

A mis pacientes, por el privilegio que me otorgaron al compartir su existencia. Lamento no poder mencionarlos a todos por su nombre aunque a todos los tengo presentes. También, por supuesto, a mis coachees, alumnos y asistentes a mis cursos quienes con su entusiasmo y deseos de aprender, supieron muchas veces soplar mis propias brasas, otorgándole sentido a mis acciones.

A Rafael Echeverría, por la generosidad con la que contribuyó a enriquecer mi texto.

A Yudi Yozo, colega y amigo que generosamente me abrió las puertas del hermano Brasil al igual que Doralicio S. Filho, Inés Cozzo Olivares y muchos más.

A Diana Sirotzky, quien compartió mis primeras ideas y con mucho cariño me guió hasta Carolina.

A Estela Falicov, editora, y a Carolina, Verónica y Michelle Kenigstein. Todas hacen el corazón de Gran Aldea Editores dignificando con su entrega el noble oficio editorial.

A Mónica Alhadeff, por su autenticidad, presencia y vitalidad. A Mario Fiocchi, Horacio Cortese, Juanma Vasallo y Marcelo Romio por compartir nuestra mesa de machos no tan machos.

A Fred Kofman y Jeremy Klein por los tiempos y aprendizajes compartidos.

A Mario Corsunsky por la hermandad, respeto y aceptación y a José Rosenblatt por la amistad. A Mónica Hochman y a Betty Siskind, tan presentes... aún.

A todos, mi más sincera y profunda gratitud.

Leonardo Wolk
Buenos Aires, octubre de 2003.

Contenido

Introducción

Lo paradójico de esto que llamamos introducción es que generalmente es lo último que se escribe. Al menos es lo que aconteció conmigo.

El deseo de escribir y la ilusión de publicar un libro de mi autoría es algo que me acompañó siempre. Pero, acostumbrado a pensar psicodramáticamente en escenas, mi deseo y yo no estábamos solos. Había un tercero en discordia: ese crítico interno, «pisabrotes» y boicoteador que me decía: «¿Y qué vas a escribir? ¿Para qué? ¡Si ya está todo dicho!». También aparecían en escena los aliados, en forma de alumnos, colegas, amigos y maestros que me alentaban diciéndome: «¡Animate!, tenés la solvencia de tantos años trabajados, la experiencia de miles de sesiones...». Pero escribir es exponerse a la crítica, a la envidia, a mostrar mi incompletud -replicaba yo-, a lo que uno de mis interlocutores -personificado en Moreno, creador del psicodrama- respondió: «Espontaneidad y creatividad son dos aspectos que todos traemos al nacer, no abortes tu potencial creador». Se sumó luego Tato Pavlovsky, uno de mis maestros, quien desde un texto me decía: «Defendé tu pensamiento creador por encima de todo y entonces vas a ser una persona, y sólo como persona total podrás coachear a otros. Si no es así, dedicate a otra cosa».

Escribir -pienso- es también exponerme a que se cambie o destruya la imagen que los otros tienen de mí. Siento miedo y entre mis memorias se impone un recuerdo de los años 80, cuando habiendo finalizado una de mis formaciones profesionales en técnicas corporales, yo tenía que dar una clase. Hablé con mi instructora en privado contándole mis temores y sobre todo el pánico de ponerme en ridículo o de aburrir a mi audiencia. Entonces, ella me dijo: «El miedo te hace sentir menos libre y audaz, no te preocupes por el público, divertite con lo que hacés y ellos se contagiarán». ¡Y así fue! Tiempo después comprendí que la creación supone una libertad total. Esforzarme por conseguir que no cambien de opinión sólo me llena de inseguridad, sufrimiento y falta de libertad. Aferrarnos a la imagen que el otro tiene de uno -que de hecho muy fácilmente puede cambiar- nos transforma en un ser controlado por el poder que otorgamos. Coachear -muy por el contrario- es colaborar para asumir el poder que está en nuestras manos. Eso es libertad, sin temor a ser uno mismo.

Un sabio maestro llamado Lin estaba acostado en su lecho de muerte, rodeado por sus discípulos. Lloraba desconsoladamente y nadie lograba confortarlo.
Uno de sus alumnos le preguntó: «Maestro, ¿por qué está llorando? ¡Si usted es casi tan inteligente como el patriarca Abraham y tan bondadoso como el mismo Buda!».
Al escuchar esto, el anciano Lin respondió: «Cuando parta de este mundo a comparecer ante el Tribunal Celestial nadie me cuestionará por qué no fui inteligente como Abraham o bondadoso como Buda. Por el contrario, la pregunta que me harán será: 'Lin, ¿por qué no fuiste como Lin? ¿Por qué no ejerciste tu potencial? ¿Por qué no seguiste la trayectoria que era la tuya propia y personal?'».

Este libro propone una forma personal de entender el coaching en una síntesis integradora que es el resultado de mi propio recorrido profesional. Está construido sobre la base de concepciones y aportes personales que fui elaborando en el desarrollo de mis cursos y prácticas, sumados a otros desarrollos de muchos maestros en el tema como Fernando Flores, Rafael Echeverría, Fred Kofman, Julio Olalla, Humberto Maturana y otros, con algunos de los cuales tuve la oportunidad y el privilegio de aprender y trabajar.

Corrigiendo a mi crítico interno -que intentaba asfixiarme y quitarme libertad- una noche me dije: «¡No!, no todo está dicho.

¡Nadie lo dijo aún como yo!». Sartre decía que la vida de una persona se desarrolla en espirales; pasamos repetidamente por los mismos puntos, pero en distintos planos de integración y complejidad. Hoy, apropiándome de sus palabras, yo agregaría que pasamos por esos puntos desde el lugar de un observador diferente. Y comencé a escribir este texto con el mismo espíritu con que di aquella clase en los 80. Con la humildad de intentar compartir desarrollos conceptuales acerca de la teoría y práctica del coaching, aprendizajes, reflexiones, experiencias de vida personales y profesionales, que a lo largo de años fui volcando en mis cursos, enriquecido por los valiosos aportes de mis maestros, alumnos y coachees. Paso por los mismos lugares, pero desde mi original, singular y específica forma de ver e interpretar el coaching.

Siento cierta indignación y enojo cuando inquisitoriamente algún nuevo fanático del coaching me pregunta: «¿Qué orientación tenés?, ¿sos ontológico?». Recuerdo entonces un dicho: «los peores fanáticos son los nuevos conversos», y descolocando a mi ocasional y confundido interlocutor suelo responder: «mi orientación es 'wolkiana' (por mi apellido), o folklórica». Esta concepción responde a la creencia de que, en general, las diferentes orientaciones -además de coincidir en muchos aspectos- tienen desarrollos interesantes y conceptualizaciones rescatables. La articulación de las mismas con desarrollos personales es el producto resultante. Han pasado muchas cosas en el país y en el mundo -mucha sangre derramada en nombre de dogmas y fundamentalismos- que me impiden ser tolerante ante los que pretenden dividir entre buenos y malos, ontológicos y no ontológicos, puristas que pelean por el poder y la paternidad de los conceptos, y dividen más que sumar. Son dogmatismos que impiden evolucionar y superar. El sectarismo es contrario al espíritu mismo y a la ética del coaching.

Tuve el privilegio de haber pasado por numerosos aprendizajes. Sentí siempre pasión por aprender y vocación de enseñar, intentando mantenerme siempre en la mente del aprendiz. Estar abierto al aprendizaje me permitió abrirme a diferentes corrientes de pensamiento. No todas me gustaban; algunas me asombraban y ante otras me sentía fascinado como una criatura ante un kiosco de golosinas.

Este libro es el resultado de un largo proceso en el que aprendí a nutrirme de conocimientos, y también a filtrar y desechar; aporté reflexiones personales; articulé conceptos de diferentes escuelas provenientes del campo de la lingüística, la filosofía, la psicología, del aprendizaje transformacional y de la teoría de los sistemas y de la comunicación, lo cual me permite hablar de una concepción sintetizadora y sinérgica que pretende ser más que la suma de las partes. No es mejor ni peor que otros aportes. Éstos son juicios que dicen más de quien los emite que de aquello acerca de lo que se habla. Cada coach elige aquella teoría y aquella práctica que más le conviene (viene con él). Aliento el pluralismo y sostengo que, aunque las teorías no sean validadas por otros, eso no significa que sean inválidas.

Lo que sigue a continuación es la expresión de aquella orientación que viene conmigo, con el ánimo de compartir y aportar para la formación y el entrenamiento de quienes sienten deseo, coraje y pasión por ser coach.

Este libro está dirigido a quienes quieren profundizar en el conocimiento de esta disciplina, que aporta herramientas poderosas para el desarrollo personal y organizacional. En el mundo de las organizaciones para el nuevo siglo, la figura del jefe/gerente está cambiando por la del líder/facilitador y el coaching se constituye en una poderosa herramienta para gestionar un mundo diferente. En este sentido también entendemos al coaching como una competencia de liderazgo y gerenciamiento. El líder-coach es guía y acompañante de su entorno aprendiente y debe contar para ello con las competencias, los valores y las convicciones. Como me dijera Aurea Castilho en diálogo personal, «debe comprender el negocio y asumir la nobleza de liderar personas y equipos».

El uso predominante del género masculino a lo largo del texto responde exclusivamente a la necesidad de simplificar la redacción. Este libro habla de mujeres y de hombres cualquiera que sea su tarea o responsabilidad.

Estructura de la obra: hoja de ruta

Te invito, estimado lector, estimada lectora, a iniciar una travesía por los caminos del aprendizaje acerca del coaching. Este trayecto, en palabras de Joseph Campbell, se torna en el «camino del héroe», un camino de transformación personal que comienza a partir del deseo del protagonista o de cierta insatisfacción que lo impulsa a una búsqueda. En esa inquietud encontrará desafíos y también aliados. Se introducirá en laberintos y profundidades hasta emerger victorioso y volver a la comunidad para contribuir con aprendizaje y sabiduría.

Considerando al lector protagonista ante el desafío de aprender, intentaré transformarme en una especie de guía acompañante en el que, sin duda, no sólo compartiré conocimientos, sino que también haré descubrimientos y nuevos aprendizajes. El orden del libro presenta una secuencia progresiva. Esto significa que el texto de cada capítulo se constituye en el contexto que facilitará comprender el texto del siguiente. Entre unos y otros hay un hilo conductor que va articulando conceptos, desarrollos teóricos y herramentales, relatos, ejemplos prácticos, etc., que didácticamente nos conducirán en la búsqueda hasta llegar al encuentro.

El capítulo I se refiere al concepto de *coaching como el arte de soplar brasas*, su campo de intervención, su distinción de otras disciplinas y también al concepto y rol del coach.

En el capítulo II presentaré lo que denomino *ideas fundacionales: aprendizaje y respons(h)abilidad*. El coaching como proceso de aprendizaje y la responsabilidad como actitud personal frente a las circunstancias del ser en la vida.

El capítulo III profundiza en el tema del *aprendizaje como proceso de transformación personal*. Tenemos una forma de estar en el mundo y también, a través de nuestros sistemas de creencias, de interpretarlo dándole sentido. En el coaching se produce una transformación que involucra al observador que cada uno de nosotros es, y esto mismo determina un cambio en nuestro accionar y en nuestros resultados.

A lo largo del libro hablamos de tres dominios: lenguaje, cuerpo, emoción. El capítulo IV incursiona en el dominio del *lenguaje*. El lenguaje no sólo es descriptivo; también es generador y coordinador de acciones. Lenguaje es acción. El coaching es un proceso fundamentalmente conversacional. Presentamos en este capítulo distinciones del lenguaje y las principales herramientas conversacionales, su metodología y aplicaciones, para la escucha y la intervención del coach. Constituyen, en conjunto, diferentes técnicas para diseñar, analizar y re-diseñar conversaciones con el objetivo de incrementar la efectividad tanto en lo personal como en nuestras interacciones.

Arribamos al Capítulo V, donde nos introducimos en la *técnica y práctica del coaching*. Hablo en él de cuatro etapas y siete pasos del proceso que se ejemplifican finalmente con el desarrollo completo de una sesión y con guías para la intervención del coach.

El capítulo VI refiere al dominio del *cuerpo*, también como lenguaje. En relación con ello hago algunas aproximaciones al conocimiento del lenguaje corporal y su importancia en el proceso de coaching.

El capítulo VII, sobre *inteligencia emocional*, refiere al dominio y al lenguaje de las emociones. Al igual que en relación con los temas de capítulos anteriores, también aquí presento una guía para la intervención del coach, con herramientas que permitan desarrollar competencias para analizar e integrar el universo emocional.

En el capítulo VIII, sobre *coaching y psicodrama*, muestro un repertorio posible de técnicas de acción, referidas sobre todo a procedimientos y técnicas dramáticas.

El capítulo IX desarrolla el tema de la *ética* en el coaching.

En el capítulo X, por medio de una *carta abierta*, se incluyen mis últimas reflexiones junto a notas y observaciones -no menos importantes- que habían sido sembradas y no cosechadas durante la travesía.

Capítulo I
El arte de soplar brasas

«La mente no debe llenarse cual recipiente
sino encenderse como fuego.»

Plutarco

Qué es coaching

Muchas veces, queriendo saber qué es coaching, me preguntan: «¿Cuál es tu trabajo?, ¿qué hace un coach?». Respiro profundamente, recuerdo situaciones y muchas personas que coacheando «despertaron» lo mejor de sí, y ante la mirada atónita de mi interlocutor respondo: «El coach es... un *soplador de brasas*».

¿Qué quiero expresar con ello? El Libro del Génesis dice: «Entonces dijo Dios: 'hagamos al hombre a nuestra imagen, conforme a nuestra semejanza'. Entonces Jehová Dios formó al hombre del polvo de la tierra y sopló en su nariz aliento de vida, y fue el hombre un ser viviente». Muchos se preguntan, ¿por qué habla Dios en plural?, ¿a quién habla si todo existe a partir de la nada? Algunos dicen que hablaba con los ángeles; otras interpretaciones dicen que lo hacía con seres de otras galaxias. De acuerdo con algunas lecturas[1] prefiero la interpretación que dice que está hablándole al mismo ser humano y a su condición de incompletud. Es el ser quien con su propio esfuerzo debe recorrer el camino de la completud, como si Dios dijera: «puedo crear seres perfectos pero ése no es mi concepto de hombre» (o de *ser*). El individuo recibe así, en un soplo vital, un alma divina que lo diferencia del resto de la Creación. El concepto es el de

1. A. Tversky, *Hagamos un hombre*, citado por Benjamin W. Nudel en *Moreno e o Hassidismo*, Agora, Sao Paulo, 1994, p. 26.

un ser humano creador y auxiliar de Dios en la creación. En el siglo XX, el filósofo alemán Martin Heidegger dirá que ese ser que se pregunta por el ser, no será otro que el ser humano. Tiene que hacerse cargo de su ser, y la forma en que lo haga comprometerá toda su existencia. Sartre y muchos otros hablarán, luego, del hombre destinado y condenado a ser libre y escoger sus acciones.

Creatividad y espontaneidad -según Jacobo L. Moreno- son aspectos que todos traemos al nacer, aunque dejamos luego que la sociedad o la cultura limite su desarrollo. Ambos forman parte también de una filosofía del aprendizaje. La espontaneidad (del latín, *sua sponte* = desde adentro) es la respuesta adecuada a una nueva situación o la nueva respuesta a una situación antigua. Sin espontaneidad, no hay creatividad. La espontaneidad opera como un catalizador o como una enzima. Creando, el individuo puede convertirse -a semejanza- en un Dios.

El ser busca la liberación de esa espontaneidad, pero desde su incompletud, vulnerabilidad, incertidumbre, también busca la (aparente) seguridad del no cambio. Aferrándose a las «conservas culturales» (producto de la creación, lo ya creado) obstaculiza su crecimiento, para evitar el sufrimiento del aprender (expandir capacidad de acción efectiva).

He visto e interactuado a lo largo de los años con personas inteligentes, brillantes, excelentes profesionales y expertos en su respectiva tarea, que me han consultado porque se sentían «atrapados», desmotivados y con sentimientos de incompetencia ante circunstancias difíciles y/o alternativas riesgosas. Uno de mis primeros interrogantes desde el rol de coach es preguntarles cómo se veían en sus inicios profesionales, qué sueños tenían. Muchas veces observo entonces como un fuego sagrado, ojos que se iluminan como brasas de ilusión. Y pienso: «¡Eso no se perdió! ¡Está! Casi apagado... ¡pero está! El conocimiento, la pasión, aún perduran». En Brasil, he aprendido de mis alumnos que despertar se dice *acordar*. Despertar para recordar. Por ello, en una primera definición poética y espiritual, me defino y defino al coach como un *soplador de brasas*. Como un socio facilitador del aprendizaje, que acompaña al otro en una búsqueda de su capacidad de aprender para generar nuevas respuestas. Soplar brasas para re-conectar al humano con su Dios perdido.

> *«Lo mejor que puedes hacer por los demás no es enseñarles tus riquezas, sino hacerles ver la suya propia.»*
>
> Goethe

COACH: LÍDER, DETECTIVE, PROVOCADOR Y ALQUIMISTA

> *«La función de un director de orquesta es animar a los músicos, enseñarles, llevarlos e inspirarlos para que ellos puedan sacar lo mejor de sí mismos.»*
>
> Daniel Barenboim

Las circunstancias para que una persona decida iniciar un coaching pueden ser muy diversas: un quiebre personal, resolver un conflicto interpersonal o alcanzar un objetivo profesional. El objetivo estará puesto siempre en abrir posibilidades de acción y que la persona que es coacheada (coachee) asuma el poder que está en sus manos. Esa respuesta nueva o diferente también será consecuencia de una transformación personal.

En inglés, la palabra *coach* significa entrenador. Proveniente del mundo de los deportes, su práctica se ha extendido a los ámbitos empresarial, organizacional y educativo. (*No acuerdo mucho con el concepto de entrenador. He intentado encontrar otro término en castellano, pero hasta el momento no he hallado aquella forma de definirlo que me convenza. Dado que la designación coach se ha universalizado, es ésta la que por ahora seguiré utilizando en este libro.*)

El coaching, más que un entrenamiento, es entendido como una disciplina, un arte, un procedimiento, una técnica y, también, un estilo de liderazgo, gerenciamiento y conducción. Personalmente lo entiendo como «un proceso de aprendizaje».

• *Ontológico* porque hace al sentido del *ser*. Al sentido del ser en tanto persona, y al sentido de ser del lenguaje en tanto constitutivo del ser humano. El mundo es entendido como un espacio de posibilidades en el cual el lenguaje -tema en el que ahondaremos posteriormente- genera realidades. En otras palabras, se interesa por el modo particular de ser de las personas. Toma las distinciones de la ontología del lenguaje y opera -esencial, pero no excluyentemente- mediante herramientas conversacionales.

• *Transformacional*, también lo llamo existencial, porque postula que «nada ocurrirá sin transformación personal». Asimismo tiene el sentido de aquello que transmuta. Hago una distinción entre lo que es experiencia y lo que es alquimia. Personalmente -y creo que nos ha pasado a todos- he vivido situaciones en las que me dije: qué buena o qué mala experiencia. Me refiero a experiencias en las que estuve o fui y volví de la misma manera. (Mi padre, con su simple y profunda filosofía casera, solía decirme que si llevaba un caballo a Roma, el mismo vuelve caballo.) En cambio es alquímica aquella experiencia que produce en mí no sólo aprendizaje (cosa de por sí muy valiosa), sino también transformación. Personalmente creo que es un tanto pretencioso hablar aquí de una «transformación del ser». Sostengo que en el proceso del coaching -como proceso de aprendizaje que es- lo que acontece es que «transformamos el tipo de observador que somos», porque considero que se produce más bien una alquimia de la conciencia del observador. Este proceso transforma nuestra forma de estar en el mundo, ya que al cambiar nuestra forma de observar, podemos modificar también nuestra manera de actuar, de operar en el mundo. Por ende, también nuestros resultados serán diferentes. Se trata, entonces, no sólo de aprender y saber, sino también de preguntarnos «quién quiero ser». Es aprendizaje más transformación.

Muchas veces -jugando con las palabras-, digo que mi rol como coach más que «facilitador», es el de «provocador». El coach, en tanto provocador, se constituye en un facilitador de aprendizajes. El coaching es un proceso provocador y desafiante ya que requiere cuestionar (y cuestionar-se) las estructuras rígidas de nuestra forma particular de ser y de nuestras antiguas concepciones de «cómo deben hacerse las cosas en el mundo de las organizaciones». En el decir de Peter Senge, «la gente no se resiste al cambio, se resiste a ser cambiada». Coaching es una invitación al cambio, a ser cambiado, a pensar diferente, a revisar nuestro modelos y -como dice un amigo- aprender a liderar con la misma naturalidad con la que el agua baja de la montaña.

Como veremos en profundidad durante el desarrollo de este libro, el rol del coach es multifacético. Es aquí donde el *detective* se suma al proceso. Como tal, se involucra activamente, investigando, indagando, buscando los indicios más certeros para encontrar las pistas en la narrativa del coachee. Atento a todo, sin perder el rastro como un buen sabueso y sin restar importancia a los detalles, colabora a re-construir los hechos utilizando -entre otras herramientas- no sólo la inducción, sino también la intuición. Como veremos más adelante, el detective no es juez; se trata de investigar, no de juzgar.

En este sentido el coaching representa una poderosa herramienta para diseñar futuro y gestionar un mundo diferente. Ser coacheado y aprender a coachear a otros se constituye hoy como una competencia gerencial y un nuevo estilo de liderazgo y gestión. El líder-coach no sólo expande sus habilidades y competencias, sino que motiva, potencia y enriquece el trabajo del equipo.

Cualquiera que sea nuestro rol en una organización o en nuestra vida personal (supervisor, gerente, esposo, amigo, líder), las capacidades conversacionales, el conocimiento de sí mismo y el aprender a aprender, ayudarán a generar cambios en las personas, en los vínculos y en las organizaciones. Los cambios en una organización no perdurarán si no tienen arraigo en las personas que la componen, en sus sistemas de creencias, en sus valores, en su modo de percibir el mundo, en el modo de relacionarse y en la forma en que asumen responsabilidad.

Entendiendo que somos seres lingüísticos, emocionales, corporales y de acción, el coaching articula elementos de la lingüística, la filosofía, la biología y la psicología. Pensamiento sistémico, inteligencia emocional, corporalidad, *role-playing* y aspectos cognitivos están también íntimamente relacionados en su práctica y aplicación.

En la sesión de coaching -que puede ser bipersonal o grupal- el coach no indica al otro (coachee) qué hacer, o cómo debe ser o actuar. Opera sí, en el dominio del lenguaje, de la conversación, y también en los dominios corporal y emocional. Entre coach y coachee se establece un vínculo y una relación íntima y confidencial, con el objetivo de expandir la capacidad de acción efectiva en un ámbito específico o en una determinada situación. El coaching es un proceso bien definido, con inicio y fin, estableciendo metas claras y diseñando acciones para alcanzar los resultados deseados.

Esencialmente es concebido como una relación bipersonal pero, en mi experiencia, coachear a un grupo o a un equipo no sólo es posible sino profundamente enriquecedor. También aquí se hace imprescindible la generación de un adecuado contexto de confianza y confidencialidad, así como el establecimiento de elementales normas de respeto mutuo. Un factor clave en este tipo de intervención es el concepto de universalidad. En el coaching individual o bipersonal, muchos coacheados -si no todos- revelan pensamientos, sentimientos y fantasías que los hacen sentir únicos en su desgracia y muchas veces alimentan sentimientos de culpa por ello. Compartir genera alivio (catarsis = limpiar) y además abre posibilidades de acción. No sólo se trata de hacer catarsis y universalizar.

En el coaching grupal, más allá de un aprendizaje personal se genera, además, cohesión entre los integrantes del grupo y aprendizaje interpersonal. Hay miembros de un equipo con mayores o menores dificultades para expresarse, pero indudablemente aquel de sus miembros que expone alguna situación, será el portavoz de muchos otros que resuenan o consuenan con sus inquietudes y no pudieron o no quisieron -aún- manifestarlas. Los temas a coachear a veces son personales y la temática de una persona le servirá a los otros por identificación. Otras veces son temas que involucran al equipo en su conjunto y entonces ya no se focaliza en la persona sino que es el grupo quien se constituye en sujeto.

Coaching es un proceso dinámico e interactivo que consiste en asistir a otros en el logro de sus metas, colaborando en el desarrollo de su propio potencial. El coach colabora con las personas, equipos, empresas, para que acorten brechas con respecto a objetivos, tanto personales como organizacionales. Su papel es capacitar a otros, a través de múltiples herramientas, para que se conviertan en mejores observadores de sí mismos y de su mundo de relaciones, para que puedan obtener el máximo de rendimiento de sus competencias y habilidades. *Asumir responsabilidad y poder, transformar el observador y diseñar e implementar nuevas acciones, son los fines de un coaching exitoso.*

Coaching y psicoterapia

A pesar de que es muy frecuente hablar de coaching en el universo de las organizaciones, existen cierta confusión y grandes distorsiones en relación con su significado, con su campo de acción específico y con las semejanzas y diferencias con otras disciplinas.

El tema no pasa simplemente por una cuestión de nomenclatura sino que muchas veces, por impericia, ignorancia o falta de ética, se produce una invasión de campo en la práctica profesional, que acarrea serias consecuencias para el consultante, se trate de un coachee o de un paciente. No cabe la comparación, ni se trata de definir si una es mejor que otra, sino de honrar la teoría y práctica de cada una en sus áreas específicas de competencia, no siendo menor la importancia del respeto por el otro y la ética del profesional actuante.

Cuando se comparan el coaching y la psicoterapia, sus fundamentos, su teoría y su práctica, sus campos de acción, los roles del coach y del terapeuta, la relación con el coachee y el paciente y, obviamente sus objetivos, se observan con claridad sus diferencias.

Coaching es una disciplina que resulta ser terapéutica -aun cuando éste no sea su objetivo último-, mas no psicoterapéutica.

Ambas se constituyen como procesos conversacionales. «Poderoso instrumento» llamaba Freud a la palabra, considerada medio de acción y de expresión en nuestras relaciones con los otros. El uso de la palabra para enfrentar particulares situaciones de angustia o dolor no es una novedad. Ya el oráculo o los shamanes recorrieron ese camino en la búsqueda de una terapéutica eficaz. En el análisis hay una relación entre el síntoma y la verdad histórica del sujeto y es por el develamiento de esa verdad que sobreviene la disolución del síntoma; pero, mientras en la actualidad de la palabra producida en la sesión de psicoterapia, el pasado se moviliza, se vuelve móvil -sin lo cual no podría ser construible ni construido-, no es esto lo que acontece como condición en la sesión de coaching. También el coaching opera en el lenguaje y -no sin sufrimiento- produce alivio y aprendizaje, aunque dolor, síntoma, inhibiciones, son tratados desde otro lugar y con otra finalidad.

El psicoanálisis posee una concepción singular del sujeto y del lenguaje, encontrando en la *asociación libre* su determinación. En este sentido, la forma en que se invita a hablar a la persona y el modo en que se lo escucha, establece también diferencias con el coaching.

La hipótesis del *inconsciente* es el pilar primordial del psicoanálisis, siendo el *método analítico* de la psicoterapia, como asevera Freud, el que nos enseña algo acerca de la génesis y la trama de los fenómenos patológicos. Coaching no habla de enfermos, ni se ocupa de estructuras patológicas. Interviene en la dimensión de lo consciente, de la conducta observable. La visión del conflicto es diferente y está orientada hacia los resultados.

La utilización de la *transferencia* como fuerza pulsional para mover al yo del enfermo a superar sus resistencias es una enseñanza freudiana. El descubrimiento freudiano del inconsciente fue formalizado a partir de los *síntomas neuróticos*, pero también a partir de los *sueños, lapsus, olvidos* y otras de las llamadas «*formaciones del inconsciente*».

Así, aunque el paciente quiera decir «todo», la palabra encuentra obstáculos a su paso, y aquellos tropiezos, entonces, son los que orientan en la búsqueda del inconsciente, cuyos contenidos deberán ser reveladas por la *interpretación*.

Ese obstáculo que llamamos *resistencia* es la señal de la *represión* y, por eso, en textos diversos el objetivo de la cura es mencionado como el de «llevar al enfermo de neurosis a tomar noticia de cuestiones reprimidas, inconscientes, que subsisten en él», y para ello, se empieza por descubrir las resistencias que se le oponen. La hipótesis de un saber no sabido y la *fuerza pulsional* en acción es entonces lo que se juega entre el analista y el paciente en una sesión. Inconsciente, interpretación de los sueños, pulsiones, resistencia, represión, etc., son específicos de un campo profesional donde el coach no incursiona.

Consideremos el siguiente ejemplo. Se trata de un gerente de cuentas de una empresa de servicios. Edad, 40 años. El director de RRHH nos solicita coaching para esta persona y nos relata que se trata de un profesional sumamente competente en su tarea y respetado en la empresa, donde ya tiene muchos años de antigüedad. A causa de una reestructuración, tienen la intención de promoverlo a una posición donde deberá liderar un equipo más amplio e interactuar en forma directa con el directorio de la compañía. La inquietud que los motiva a solicitar nuestra intervención son sus serios problemas de comunicación. De conducta retraída, se muestra inhibido frente a sus superiores, trabaja casi autónomamente, costándole delegar y comunicando poco durante los procesos.

Resumida y esquemáticamente, desde el coaching -habiendo generado previamente el contexto adecuado- abordaríamos la situación haciendo foco en la brecha entre intenciones y resultados, indagando en los supuestos, en la fundamentación de los juicios, en sus percepciones y emociones, etc. Buscaríamos cómo asumir responsabilidad frente a las circunstancias, explorando alternativas y diagramando cursos de acción para generar aprendizajes que lo lleven a expandir su capacidad de acción efectiva, que se manifestarán en la generación de nuevas respuestas. Desde ser un observador diferente, podrá hacer nuevas distinciones, ampliará sus competencias, pero limitadas a ciertos y específicos dominios. Lo que no es poco.

Desde la psicoterapia el campo es más abarcativo. Desde el concepto analítico de «repetición» (¿quién es la autoridad?: ¿un padre? ¿un abuelo?; ¿dónde y con quién más le ocurre lo mismo?) se ahondaría en la historia del sujeto, relaciones vinculares, situaciones traumáticas, defensas, etc. Su retraimiento y autosuficiencia son tomados como significantes, como la cara visible, lo manifiesto, de otros significados latentes.

Quizás de forma un tanto reduccionista podríamos pensar el coaching como una aproximación a lo sintomático, mientras la psicoterapia aborda los conflictos, intentando observar más allá de los síntomas.

Plantear cuál de los dos abordajes es «mejor» no sólo daría lugar a una comparación sin sentido, sino inconducente. La respuesta habrá que buscarla en la demanda del consultante.

Muchos coachees suelen preguntarme en el primer encuentro: «No vas a analizarme, ¿no?». Entre muchas otras razones, algunos lo hacen por desconocimiento; otros, por temor a ser invadidos, y algunos más porque están ya en un proceso psicoterapéutico. Ante la inquietud -además de hacer las aclaraciones correspondientes-, mi respuesta suele ser: «*¡Coaching no es diván corporativo!*».

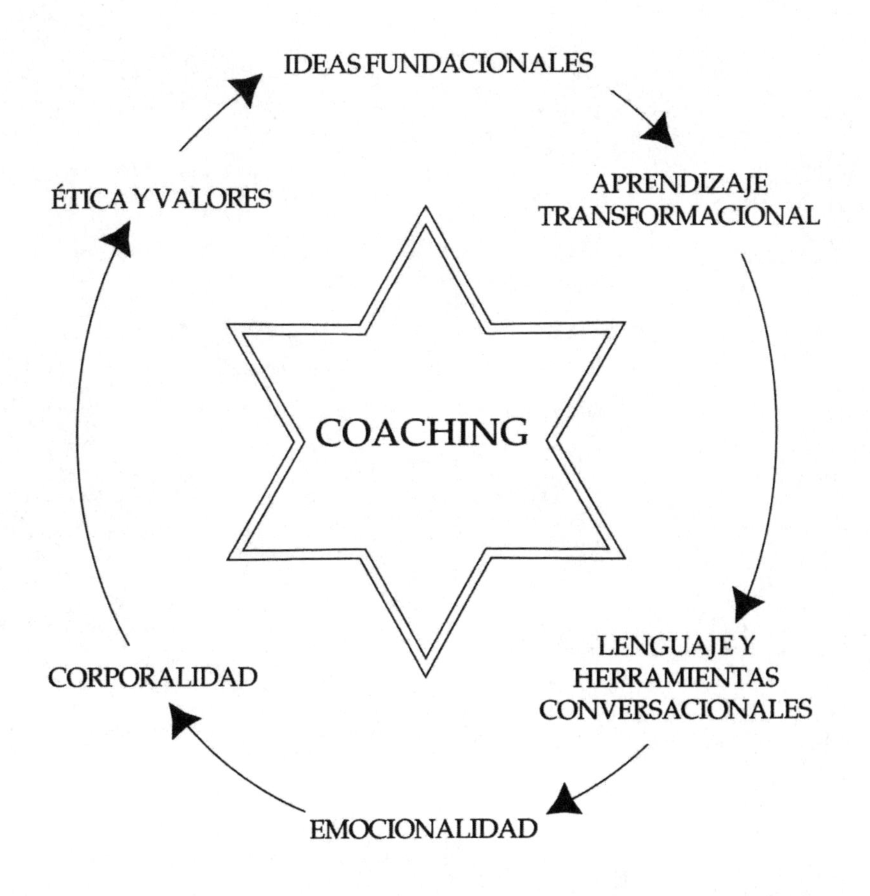

FIGURA 1
Fundamentos del coaching

Capítulo II

Ideas fundacionales: aprendizaje y responsabilidad

El esquema de la página anterior se propone resumir gráficamente el concepto de coaching: las ideas fundacionales, los elementos conceptuales en los que se nutre, los dominios del lenguaje, la corporalidad y la emocionalidad, las herramientas para la intervención del coach y, finalmente, los valores que rigen su práctica.

Pero, como sabemos, el mapa no es el territorio. El coaching está lejos de ser tan sólo un conjunto de técnicas. La implementación de herramientas desvinculadas de una teoría son peligrosas y desvirtúan su práctica. La necesidad de rápidas respuestas y la impaciencia por saber «cómo se hace», no son buenos maestros. A muchos aprendices del coaching a veces les resulta tedioso el aprendizaje teórico-conceptual queriendo pasar rápidamente al aprendizaje de la técnica. Para aprender a conducir un automóvil, no es requisito tener conocimientos teóricos acerca de la combustión de un motor; en cambio, para operar en el cuerpo humano no es condición suficiente saber blandir un bisturí. El conocimiento de la técnica es sólo uno de los aspectos a considerar. Al hacer coaching también intervenimos en el ser de una persona y en su emocionalidad. El coaching está fundado en sólidas bases teóricas, rigurosas herramientas prácticas y requiere profesionales capacitados para su ejercicio.

Sólida formación profesional, ética y responsabilidad son condiciones esenciales para ser coach.

Respondiendo a la idea de que nada es más práctico que una consistente teoría, antes de enseñar «cómo es la técnica», focalizaremos en un principio en el desarrollo de sus fundamentos conceptuales y teóricos y de éstos en relación con la práctica del coaching. Su conocimiento, aprendizaje y dominio se constituyen en requisito fundamental para ser un coach de excelencia.

«Ninguna estructura es más fuerte que sus fundamentos», fue la frase que aprendí de un alumno ingeniero, y desde entonces la adopté en mis cursos comenzando por lo que considero dos *ideas fundacionales*: *aprendizaje* y *responsabilidad*.

Aprendizaje

«En tiempos de cambio, quienes estén abiertos al aprendizaje se adueñarán del futuro, mientras que aquellos que creen saberlo todo estarán bien equipados para un mundo que ya no existe.»

Eric Hoffer

En el lenguaje cotidiano se define aprender como «adquirir el conocimiento de una cosa». Esto se traduce generalmente como «tener información acerca de...». Es habitual la pregunta: ¿qué aprendiste hoy en la escuela? Las respuestas son: que la República Argentina tiene límites con tales otros países, que tiene ríos, montañas, llanuras, etc. ¿Qué aprendiste en anatomía? Que el cuerpo humano tiene un aparato respiratorio, circulatorio, digestivo, etc. ¿Qué aprendiste con tu PC? Que pueden hacerse miles de operaciones muy útiles para diferentes requerimientos. ¿Y sabés hacerlas? No. Tengo la información de lo que puede hacerse pero aún no sé operar con ella. Ésta es una enorme distinción que haremos en el concepto de aprendizaje.

Aprender no es sólo tener información (lo que ya es de importancia); *aprender es expandir nuestra capacidad de acción efectiva*. Poder hacer hoy lo que ayer no podía o no sabía. Incrementar nuestra competencia para poder operar en un determinado dominio que antes desconocía. Es incorporar habilidades que hagan posible acceder a resultados u objetivos que antes estaban fuera de mis posibilidades. El gran desafío es aprender a aprender. Enseñar el oficio de aprender es ir más allá de transmitir información.

«Aprendizaje es experiencia, todo lo demás es información.»
Albert Einstein

Desde este punto de vista, nos referimos al aprender como un concepto que vincula aprendizaje y acción. Por ello hablamos de una *concepción activa del aprendizaje.* Aprender es actuar. Y no cualquier acción, sino que hablamos de acciones *efectivas.* Un altísimo porcentaje de ejecutivos y líderes se definen como «gente de acción», pero puestos a la tarea observamos que deben reiniciar una y otra vez alguna acción por no ser efectivas las decisiones de acción definidas en su momento. En capítulos posteriores nos referiremos a este tema con mayor detenimiento.

El aprendizaje también es activo porque requiere la voluntad y la acción de movernos de una zona que arbitrariamente llamaremos de *confort,* a otra zona que llamaremos de *expansión,* cuidando de no pasar a una tercera zona que llamamos de *pánico.*

Veamos el siguiente gráfico:

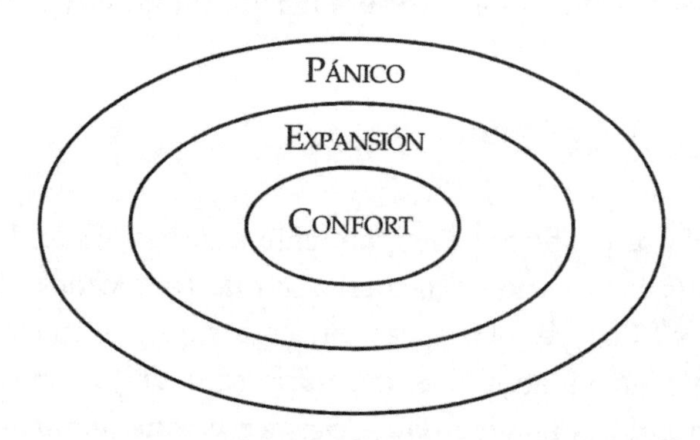

FIGURA 2
Zonas de aprendizaje

ZONA DE CONFORT

En ella tenemos todo el conocimiento adquirido; no hay nada más para aprender; funcionamos en piloto automático y se irá expandiendo a medida que incrementemos nuestro aprendizaje. Como los campos del aprendizaje son ilimitados (consideremos que hay áreas del conocimiento que la humanidad no ha descubierto aún), esta zona se va extendiendo también al incorporar nuevas competencias y no tiene límites rígidos. Operamos automáticamente con lo ya conocido, sin mucha conciencia. Por ejemplo, ¿cuántas operaciones hizo hoy con los cambios en su automóvil en el trayecto del hogar al trabajo? Pero, ¿recuerda cómo era cuando tomó sus primeras clases de conducción? ¡Era casi imposible girar en una esquina y hablar al mismo tiempo! ¿Está mal tener una zona de confort? ¡En absoluto! Imagínese lo complicada que sería la existencia si cada vez que tenemos que conducir fuese como la primera vez. Ese conocimiento adquirido -en cualquier dominio que sea- nos posibilita operar con mayor efectividad (y con menos estrés y derroche de energía). En todo caso, lo «malo» o no deseado sería circunscribirnos a esta área, ya que estaríamos muy limitados en nuestro campo de acción. En palabras de Eric Hoffer tendremos respuestas para las inquietudes del ayer, pero careceremos de preguntas para el futuro.

ZONA DE EXPANSIÓN

En ella se produce principalmente el aprendizaje. Esta área es también ilimitada y -no sin esfuerzo- a nuestro alcance. ¿Por qué no sin esfuerzo? Porque para aprender, para expandir nuestra conciencia y capacidad de acción, es necesario salir de la zona de confort. Esta salida implica una herida narcisística ya que requiere una declaración de no saber, que muchas veces puede herir nuestra autoestima. Es un reconocimiento de que «hay algo que no sé» pero, al mismo tiempo, requiere una voluntad de aprender. («No sé, pero quiero aprender.») En este sentido definimos el aprendizaje como un proceso. Es la acción de moverse del confort de lo conocido a una zona de desconfort frente a lo desconocido. En ésta, al aprender, expandimos nuestra capacidad de acción y al mismo tiempo estaremos ampliando nuestra zona de confort. Es el proceso por el cual seremos capaces de producir un resultado que antes estaba fuera de nuestro alcance.

Reconocer que hay algo que no sé, que hay cosas en las que aún no tengo competencias, implica operar desde la humildad como requisito para aprender. La arrogancia -su opuesto- nos lleva a la falsa creencia de saberlo todo y desde ese lugar nos cerramos al aprendizaje; no queda nada por aprender. La zona de expansión de aquél que cree saberlo todo es casi inexistente o nula.

Ésta es una tendencia muy marcada en la cultura empresarial donde nos pagan por saber; nos reconocen si tenemos respuestas. Esta cultura estimula la hipocresía, las máscaras. La pasión por aprender no siempre es valorada. La humildad no significa no saber. Humildad es estar orgulloso por lo aprendido, pero ubicándonos siempre en la mente, en la actitud o en el alma del aprendiz; de aquél que está abierto al aprendizaje. Bien afirmado en el presente, pero preguntándose por el futuro.

Zona de temor/pánico

Es la zona en la que es prácticamente imposible aprender. Donde hay temor no hay lugar para el amor. Podrá haber cumplimiento, pero no compromiso. En el temor lo que queremos es estar a salvo, salvar la vida, retener el puesto, no exponernos. Pensemos qué posibilidades se abrirán para un niño que aprende con amor, sin temor, en comparación con otro que vive aterrorizado por el castigo si comete un error. Si me avergüenzan, me humillan y castigan por el error al aprender a sumar, ¿qué aprenderé? Que equivocarse es sancionado, que decir «no sé», es reprendido. ¿Qué conductas o actitudes desarrollaré en consecuencia? No participar, disimular, ocultar mi ignorancia. Conductas que muy probablemente seguiré repitiendo en mi vida adulta y que se expresarán como arrogancia, soberbia, hipocresía, etc.

Serán las máscaras defensivas detrás de las cuales ocultaremos la ceguera o la ignorancia.

¿Cómo responder a estos condicionamientos? Generando adecuados *contextos de aprendizaje*. Contextos de confianza, confiabilidad, respeto, humildad, compasión, amor. Contextos aprendientes para expandir capacidades de acción efectiva; donde la declaración de «no sé» sea concebida como una oportunidad. «No sé, pero me comprometo a aprender.» Ésta es la actitud de un potencial líder. Muchas veces, asesorando a seleccionadores de personal les digo: el conocimiento o las competencias técnicas de aquel que aspira a una posición son requisito indispensable, mas no se detengan sólo en lo que esa persona sabe; intenten ver más allá, en detectar cuánta es su pasión por aprender. ¡Vale la pena invertir!

Coaching y aprendizaje

¿Por qué el aprendizaje es uno de los fundamentos del coaching?

Porque coaching *es* un proceso de aprendizaje. Dijimos antes que podría ser definido como arte, técnica, disciplina, estilo de liderazgo y gerenciamiento. Estrictamente, es un proceso a través del cual el coacheado transforma el tipo de observador que es, abriéndose a nuevas posibilidades de acción.

Es el proceso a través del cual el coacheado acorta brechas entre dos momentos o estados. Pensemos en momento 1 (m1) y momento 2 (m2).

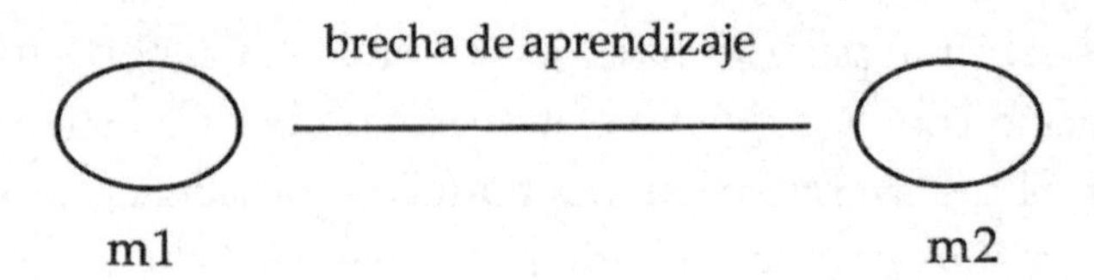

Figura 3
La brecha de aprendizaje

En m1 está lo que sé, lo que puedo, lo que tengo; en m2 lo que no sé, lo que no puedo, lo que quiero. Entre ambos hay una distancia que llamaremos *brecha de aprendizaje*. Es un estado de insatisfacción (hay algo que no sé o no puedo resolver o a lo que no puedo darle una respuesta satisfactoria, pero quiero poder o quiero saber). La brecha se constituye a partir del deseo o de la insatisfacción. Sin ella, no hay brecha. Coaching es el proceso de aprendizaje a través del cual acortamos la brecha de aprendizaje con nuevas respuestas y acciones.

Como proceso, coaching es una invitación a salir de la zona de confort para cuestionar y cuestionarse el modo de pensar, de comunicarse, de observar, de actuar, para aprender nuevas respuestas ante los viejos y los nuevos desafíos. Es un proceso para diseñar futuro.

De acuerdo con lo expresado más arriba, requiere la humildad de reconocer que hay cosas que no sé y que quiero saber para acortar la brecha entre lo que puedo y no puedo, entre lo que sé y lo que no sé, entre lo que tengo y lo que quiero.

Responsabilidad

Relata un cuento zen que en un monasterio había un discípulo que desafiaba siempre a su maestro. Cierta vez, ocultando a sus espaldas a un pájaro que sostenía en las manos, el discípulo se paró desafiante ante el maestro y le preguntó: «Maestro, aquí detrás de mí tengo un pájaro. Dígame usted que lo sabe todo: ¿está vivo o está muerto?». (De tal modo, si decía que el pájaro estaba vivo lo ahorcaba y si decía que estaba muerto abriría sus manos y lo dejaría volar.) El maestro lo miró a los ojos con respeto y compasión, respiró profundamente y con mucho amor le respondió: «Eso depende de ti. La solución... está en tus manos!».

La pregunta más profunda del maestro a su desafiante discípulo es: «¿Cómo quieres vivir tu vida?, ¿cómo quieres usar el poder que está en tus manos?». Ésa es la pregunta que formula también el coach en la sesión de coaching: «¿Qué quieres que ocurra en esta situación?; dadas las circunstancias ante las cuales la vida te enfrenta, ¿cómo puedes responder eficazmente a esta situación?».

Responsabilidad [respons(h)habilidad] es precisamente a lo que alude el relato. Cómo responder «frente a...» las situaciones o circunstancias. No se trata de tener «la culpa de...», sino de observar cómo nos posicionamos frente a las cosas que nos acontecen y elegir las acciones desde una libertad esencial.

Hay una enorme diferencia de acuerdo con la manera en que relatemos un suceso. Un ejemplo que suelo presentar en los cursos es muy gráfico al respecto: imaginemos que estoy sosteniendo un objeto entre los dedos de mi mano. Abro la mano y el objeto cae al piso. Ante la pregunta: ¿por qué cayó el objeto?, algunos reponderán: «por la fuerza de la gravedad»; otros dirán: «porque lo soltó». Podría haber otras explicaciones; pero en estas dos anteriores, ¿alguna es falsa? Claro que no. Ambas son igualmente válidas, y al mismo tiempo son diferentes maneras de explicar el fenómeno. Entonces, ¿dónde radica la diferencia? En la primera explicación estaremos poniendo la responsabilidad *fuera* de nosotros (fuerza de la gravedad); en la segunda *asumimos* respons(h)abilidad (yo lo solté). Estaremos, así, dando dos tipos de explicaciones que llamaremos explicaciones *tranquilizadoras* y explicaciones *generativas*. Cada una de ellas genera respuestas y acciones claramente diferentes.

Explicaciones tranquilizadoras (o reactivas)

El mundo en general, y el mundo de las organizaciones en particular, está lleno de explicaciones tales como: «si no fuera por», «la culpa es de», «yo soy así», «la cultura de la compañía», «la vorágine del tiempo», «el injusto de mi jefe», «se cayó el sistema», etc. Son las explicaciones del tipo «ley de la gravedad». De acuerdo con este tipo de explicación, el objeto de mi mano cayó atraído por (o por culpa de) la ley de la gravedad. Conociendo el «mal carácter» de mi jefe, si tengo que decirle que no cumplí con mi compromiso porque se cayó el sistema, ¿estoy tranquilo? Probablemente no. Entonces, ¿por qué las llamo explicaciones tranquilizadoras? Son tranquilizadoras, no porque resuelvan algo. El problema sigue existiendo. Lo son porque en ellas me declaro inocente y pongo la responsabilidad en el sistema, o en la cultura o en el tiempo, o... ; siempre habrá un motivo. Así, lo que obtengo -como resultado- lo explico como consecuencia de factores externos a mí. Es una explicación «irresponsable»; la explicación irresponsable dice: «yo no tengo nada que ver con lo que pasa... ni con su solución». No asumo la responsabilidad de haber podido generar una respuesta diferente (por ejemplo, buscar otra manera de responder al compromiso con mi jefe, o avisarle con anticipación que no podré responder satisfactoriamente a su solicitud y generar un nuevo compromiso, etc.). Dar estas explicaciones no es gratuito. Tiene el enorme costo de ubicarnos en el rol de *víctima*. Me declaro inocente, pero al mismo tiempo también impotente e incompetente. Estas explicaciones cierran posibilidades de acción. Cierran posibilidades de responder a una situación.

Explicaciones generativas

Haciéndome parte del problema, puedo ser parte de la solución. Aquí, a diferencia de la situación anterior, lo que obtengo -como resultado- es lo que contribuyo a producir. Soy parte contribuyente de un resultado. No me hago culpable, ya que no elegí que se cayera el sistema. Asumo, sí, el poder que está en mis manos, comunicando el inconveniente y solicitando ayuda o pidiendo sugerencias a mi jefe; me transformo en protagonista. Pero obrar de este modo también tiene un costo y éste es la *responsabilidad*.

Estas explicaciones abren posibilidades de acción; de responder a una situación (sabiendo que no tendré el auto mañana, salir más temprano porque iré en subte; avisar con anticipación que una entrega se hará con cierto tiempo de atraso, etc.)

COACHING Y RESPONSABILIDAD

IDEAS CLAVE PARA EL ROL DEL COACH

La pregunta que hace el maestro a su discípulo es la que formula también el coach en la sesión de coaching: «¿Qué quieres que ocurra en esta situación? Dadas estas circunstancias, ¿cuánta responsabilidad estás dispuesto a asumir?, ¿cómo responder eficazmente?». En otras palabras, ante un determinado hecho el coach pregunta: «¿Qué historia elegirás contar? ¿La historia de la víctima o la historia del protagonista?». La primera genera impotencia; con la segunda asumo el poder que está en mis posibilidades, en mis competencias.

La cuestión pasa por asumir responsabilidad [respons(h)abilidad = habilidad para responder a una situación]. Pasa por tomar conciencia de que, aun en las circunstancias más difíciles, puedo elegir *quién voy a ser*. Si extiendo mi diestra para estrechar otra mano, estaré eligiendo ser el tipo de persona que extiende su mano; y eso es independiente de si el otro extiende la suya o no. Mi ser es definido desde mí, no desde la actitud del otro. Actuamos como somos, pero también somos como actuamos. La acción genera ser. Si hago una zancadilla a otro, este acto no sólo impacta a ese otro, sino que me convierte en el tipo de persona que hace zancadillas. Es una cuestión que tiene que ver con la esencia del ser, con lo que soy. Puedo elegir.

Si eres amable, las personas pueden acusarte de egoísta e interesado...
Aun así sé gentil.
Si eres un vencedor, tendrás algunos falsos amigos y algunos enemigos verdaderos...
Aun así vence.
Si eres honesto y franco, las personas pueden engañarte...
Aun así sé honesto y franco.
Lo que tardaste años para construir, alguien puede destruirlo de una hora para otra...
Aun así... Construye.

Si tienes paz y eres feliz, las personas pueden sentir envidia...
Aun así... Sé feliz.
El bien que hagas hoy, puede ser olvidado mañana...
Aun así... Haz el bien.
Da al mundo lo mejor de ti, aunque eso pueda nunca ser suficiente...
Aún así... da lo mejor de ti mismo.
Y recuerda que, al fin de cuentas...
Es entre Tú y DIOS. ¡Nunca fue entre Tú y ellos...!

Madre Teresa de Calcuta

Viktor Frankl, psiquiatra y catedrático vienés fue el prisionero Nº 119104 en el campo de concentración de Auschwitz. En su conmovedor libro *El hombre en busca de sentido*[1] nos dice: «Al hombre se le puede arrebatar todo salvo una cosa: la última de las libertades humanas -la elección de la actitud personal ante un conjunto de circunstancias- para decidir su propio camino. (...) Aun cuando condiciones tales como la falta de sueño, la alimentación insuficiente y las diversas tensiones mentales pueden llevar a creer que los reclusos se veían obligados a reaccionar de cierto modo, en un análisis último se hacía patente que el tipo de persona en que se convertía un prisionero era el resultado de una decisión íntima y no únicamente producto de la influencia del campo (...) La libertad íntima nunca se pierde. Es esta libertad espiritual que no se nos puede arrebatar, lo que hace que la vida tenga sentido y propósito».

Según Sartre, ser responsable es ser autor; estamos condenados a ser libres. Cada uno es autor de su propio modelo de existencia. Cuando habla de responsabilidad no lo hace sobre algo abstracto. No está hablando sobre la clase de ser o alma de la que hablan los teólogos. Es algo concreto. Somos tú y yo conversando, tomando decisiones, haciendo cosas y aceptando (asumiendo) las consecuencias. Hay millones de seres en el mundo; sin embargo, lo

1. Editorial Herder, Barcelona, 1994.

que cada uno hace determina una diferencia y establece un ejemplo. El mensaje es que nunca deberíamos vernos como víctimas de diversas fuerzas. Quienes somos, es siempre nuestra decisión.

Érase una vez un escritor que vivía en una playa tranquila, junto a una colonia de pescadores. Todas las mañanas, temprano, paseaba por la costanera para inspirarse y de tarde se quedaba en casa escribiendo.
Un día, caminando por la orilla en la playa, vio una figura que parecía danzar. Al aproximarse, observó a un joven agarrando estrellas de mar en la arena y, una a una, arrojarlas de vuelta al océano.
-¿Por qué estás haciendo esto? -preguntó el escritor.
-¿No lo ves? -dijo el joven-. La marea está baja y el sol está brillando. Si las dejo en la arena, se secarán al sol y morirán.
-Muchacho, existen miles de kilómetros de playa en este mundo y cientos de miles de estrellas de mar desparramadas a lo largo de ellos. ¿Qué diferencia hace? Tú devuelves algunas al mar, pero la mayoría morirá de cualquier forma.
El joven tomó una estrella más de la arena y la arrojó de vuelta al océano. Miró al escritor y dijo:
-Para ésa, yo hice la diferencia.
Aquella noche el escritor no logró dormir; tampoco pudo escribir.
Por la mañana fue a la playa, aguardó al joven y junto con él comenzó a devolver estrellas al mar.

El proceso de coaching es un proceso de asunción de responsabilidad. El coach sabe que esta consideración es crucial. Mientras el coachee siga considerando que sus quiebres o problemas son consecuencia de factores externos, el coaching no tendrá eficacia. Si el problema está afuera, ¿cuál será la necesidad de cambiar? Coaching es aprender a revisar nuestros juicios, nuestros procesos de razonamiento y a darnos explicaciones generativas; a ser protagonistas con posibilidades de acción efectiva. Es aprender a dar explicaciones en primera persona. Por ejemplo, una cosa es decir: «mi jefe es un injusto» y otra muy diferente: «no sé cómo hacer para que mi tarea sea reconocida». En el primer caso soy una víctima y se cierran todas las posibilidades de acción a menos que mi jefe cambie su actitud; delego en él el poder que también está en mis manos. En la segunda, declaro mi incompetencia y al mismo tiempo asumo poder, abriéndome a otras posibilidades de acción que puedan ser operables desde mi persona.

Capítulo III
Aprendizaje transformacional

«No vemos el mundo como es, sino como somos.»

Talmud

Transformando al observador

Para unos, una persona tiene mal carácter, para otros es un pan de Dios; para unos, un film es bueno, para otros resultó malo. ¿Qué hace que ante una misma circunstancia, ante un mismo hecho, dos ó más personas vean o sientan de modo diferente? Acontece que «bueno» o «malo» son interpretaciones; por lo tanto son subjetivas. Son interpretaciones que corresponden al sujeto que las emite. En otras palabras, *dependen del observador que cada uno es.* Esa persona no es buena ni mala, simplemente es; el film no es bueno ni malo, es. Comprender el universo de esta manera nos abrirá un enorme espacio de posibilidades. Posibilidades de acción, de comprensión, de relacionamiento, etc.

Desde una comprensión generalizada, creemos experimentar la realidad tal como es. Como en los ejemplos arriba mencionados, algunos podrán coincidir con nuestra manera de observar (realidad coincidente), y también habrá quienes tengan una percepción diferente. Entonces, ¿cuál es «la realidad»? Desde un principio elemental de respeto por el otro podríamos decir que no hay tal cosa como «la» realidad. Sí está «mi» realidad y también la realidad del otro. En su film *Deconstructing Harry*, Woody Allen, mientras habla de una existencia fragmentada y desarticulada, pone en boca del protagonista la siguiente reflexión: «Toda la gente conoce la misma verdad. Nuestra vida consiste en cómo nos decidamos a distorsionarla». Tenemos diferentes perspectivas acerca de un mismo hecho y esto es así porque nuestra experiencia está filtrada por nuestros sistemas de creencias, por nuestros modelos mentales.

Peter Senge[1] define los modelos mentales como supuestos profundamente arraigados, generalizaciones e imágenes que influyen sobre nuestra manera de observar el mundo y, por lo tanto, también sobre nuestra manera de actuar en él.

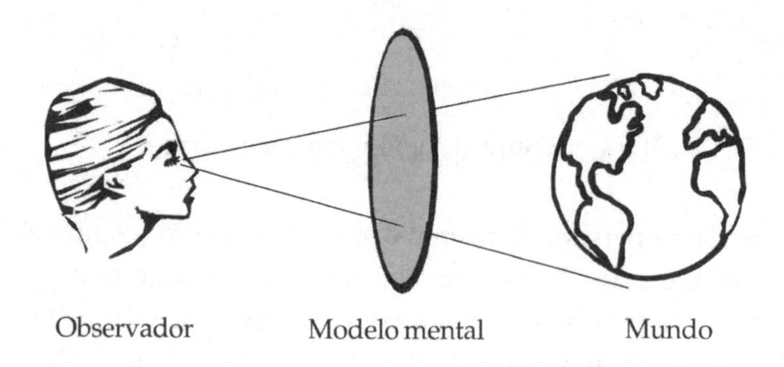

FIGURA 4
El filtro de los modelos mentales

¿Es malo tener modelos mentales? ¿Podemos no tenerlos? La respuesta es negativa en ambos casos. En todo caso, si pudiéramos hablar de lo «malo» (entendiendo que ésa es también una categoría subjetiva, aunque sea compartida por muchos), yo diría que lo erróneo es considerar que el nuestro es el único modelo mental existente válido (así es como se originan los fundamentalismos, absolutismos, sectarismos y fanatismos).

Había tres albañiles trabajando en una construcción. Una persona que pasaba se acercó a uno de ellos y le preguntó: «¿Qué está haciendo, buen hombre?». «Estoy colocando ladrillos -contestó-. Es un duro trabajo con el que me gano el pan de cada día.» Se acercó al segundo y reiteró la misma

1. *La quinta disciplina*, Editorial Granica, Buenos Aires, 1992.

pregunta, a lo que el albañil respondió: «Estamos colocando ladrillos, construyendo juntos el lado norte de esta estructura.» Finalmente se aproximó al tercero, quien ante la pregunta, y con orgullo, dijo: «Coloco ladrillos ayudando a levantar la catedral más hermosa para mi pueblo».

Todos hacían la misma tarea, pero mientras el primero sostenía un trabajo, el segundo apuntaba en su observación a metas comunes, y el último observaba más allá de la tarea, focalizando en una visión.

Hace algunos días iba caminando junto a un conocido; en la calle había un joven repartiendo volantes con publicidad. Mientras mi acompañante rechazó la invitación a tomarlo, sintiéndose molesto por lo que consideraba una invasión a su persona, yo recibí el trozo de papel y lo guardé en el bolsillo. No sé si lo leeré, pero entiendo que recibirlo le otorga sentido a mi interpretación con respecto a la tarea de ese joven. Mi acción de aceptar el volante con publicidad justificará el trabajo del muchacho, sin el cual probablemente sería un desocupado. Vivimos en mundos interpretativos. Esa interpretación del mundo dependerá del tipo de observador que cada uno es.

Los modelos mentales forman parte de nuestra existencia. Operan permanentemente en cualquier ámbito de nuestra vida condicionando nuestras percepciones. Sobre esas percepciones habrá interpretaciones y éstas, a su vez, definirán acciones.

Charlotte Roberts[2] dice: «Los modelos mentales pueden ser generativos: uno puede proponerse crear una aptitud que no posee. Los científicos que crearon el programa espacial tuvieron que imaginar futuros posibles en los que nadie había pensado... y en cierta forma los alentaron. Para que la generación de nuevos modelos mentales surta efectos duraderos, es preciso combinar la imaginación con la acción.»

---

2. *La quinta disciplina en la práctica*, Editorial Granica, Barcelona, 1995, p. 252.

Esta distinción es sustancial puesto que, como sostiene Rafael Echeverría,[3] toda acción resultará del tipo de observador que cada uno es. Desarrolla el modelo del observador-acción-resultados llamando *observador* a la forma particular en que un individuo otorga sentido a la situación que enfrenta antes de intervenir en ella. De acuerdo con el sentido que le demos a una situación actuaremos de una u otra manera. Esa acción nos aproximará a un resultado que puede coincidir o no con los objetivos propuestos.

Observador ⟶ Acción ⟶ Resultados

Albert Einstein dijo: «locura es hacer lo mismo una y otra vez intentando obtener un resultado diferente». ¿Qué es lo que frecuentemente ocurre? Cuando nuestros resultados no coinciden con los objetivos propuestos intentamos la misma acción una y otra vez (por ejemplo, haciéndolo más rápido), sin tomar conciencia de que esas acciones provienen de la interpretación de un observador que le otorgó un particular significado. De lo que se trata es de aprender a pensar de una manera diferente, lo que implica modificar ese modelo de observador.

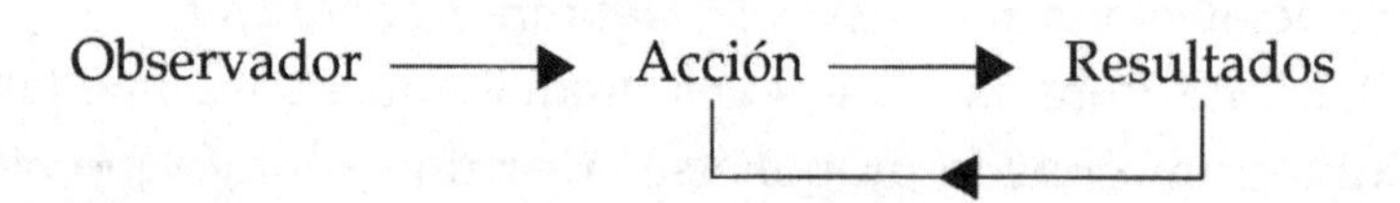

En conclusión, si queremos obtener resultados que nos aproximen con mayor eficacia al objetivo deseado, habrá que enfocar no en las acciones, sino en el tipo particular de observador que cada uno es, en nuestros modelos mentales, en nuestras interpretacio-

3. Rafael Echeverría y Alicia Pizarro, *Etapas y procedimientos del coaching ontológico*, Newfield Consulting, 1998.

nes del mundo. Con toda seguridad, las acciones consecuentes y sus resultados serán diferentes.

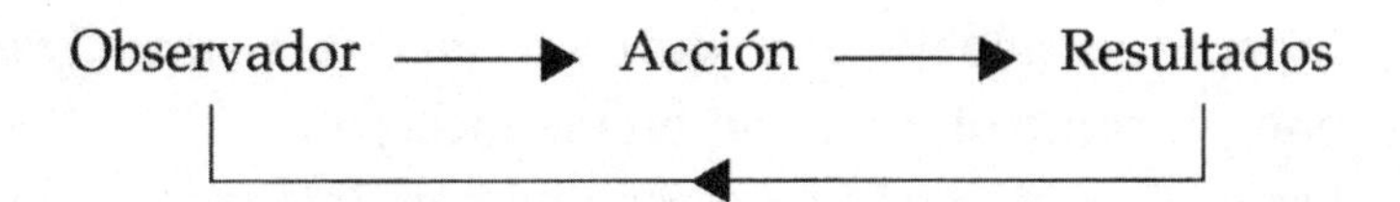

Un tema de gran relevancia para los líderes del nuevo siglo será el de *generar contextos de aprendizaje* en los cuales se haga posible el surgimiento de observadores diferentes. Contextos de confianza, respeto, confiabilidad que posibiliten el cuestionar y cuestionar-se (cuestionar-nos) nuestra manera de pensar, de comunicarnos, de relacionarnos y, más que nada, de cuestionar también ciertos dogmas que nos dicen «cómo deben hacerse las cosas» en el mundo de las organizaciones. Insisto y afirmo: es responsabilidad del líder generar contextos aprendientes. Estos contextos serán el germen de nuevos y diferentes observadores.

Contexto ⟶ Observador ⟶ Acción ⟶ Resultados

Diseñar e implementar nuevas acciones que nos aproximen a los resultados deseados en un proceso de acortar brechas, son el fin de un coaching exitoso; desde nuestro particular punto de vista, este proceso implicará siempre una *transformación personal.*

Coaching y aprendizaje transformacional

Ideas clave para el rol del coach

La tarea del coach consistirá en ayudar al coacheado a aprender a ser un observador diferente. Coaching es un tipo particular de aprendizaje que requiere transformación personal. Esto responde a una idea en la que podemos hablar de distintos *niveles de aprendizaje.*

Desde conceptualizaciones de la teoría de la escena yo hablo de escena uno y escena dos.

- Escena 1 es aquella que ocurre frente a mi persona y en la que yo, como observador, no me incluyo.
- Escena 2 es aquella otra escena que me incluye y en la que me siento involucrado.

De cada una de estas escenas y de nuestra participación en ellas se desprende una modalidad diferente de aprendizaje. Sobre la base de estas distinciones y en relación con lo que denominamos *niveles de aprendizaje,* el particular aprendizaje que requiere transformación personal tiene que ver con escena 2.[4]

El coaching surge como alternativa cuando enfrentamos una situación ante la cual nos declaramos incompetentes para resolver y que de acuerdo con nuestro juicio u opinión se constituye en problema.

En el aprendizaje de escena 1 expandimos nuestra capacidad de acción efectiva aprendiendo lo que no sabemos o contratando a quien tiene las competencias para resolverlo. Sumamos así nuevas herramientas al repertorio que ya teníamos incrementando nuestras competencias, pero *sin cuestionar el tipo de observador que somos.*

En el nivel de escena 2, donde opera y focaliza el coaching, nos proponemos cuestionar el tipo particular de observador que somos. Como observadores que somos tendremos también una particular forma de ser o de responder a las circunstancias. En este carácter tendremos que asumir que de alguna manera contribuimos a lo que denominamos *problema.*

Por lo tanto, el coaching apuntará no sólo a la expansión de la capacidad de acción de una persona, sino que ésta será consecuen-

4. En *Etapas y procedimientos del coaching ontológico,* Alicia Pizarro y Rafael Echeverría denominan a estos niveles, aprendizaje de 1° y 2° orden.

cia de una modificación del tipo de observador que esa persona es. Transformando el observador, abriremos posibilidades para generar nuevas respuestas donde antes no las había. A esto llamamos *aprendizaje transformacional.*

Precisamente es llamado coaching ontológico porque es un proceso que procura producir aprendizaje focalizando no en las acciones sino remitiendo a la particular forma de ser *–por lo tanto de actuar–* de las personas.

Los conceptos referidos al aprendizaje individual son igualmente aplicables a las empresas u organizaciones.

Según Peter Drucker las organizaciones son procesos sociales con resultados económicos. Asimismo, podemos definir al *management* como el *arte de coordinar personas, acciones y recursos para lograr objetivos en una organización.*

Llamamos *aprendizaje organizacional* a los *procesos conducentes a incrementar la capacidad de acción efectiva de las organizaciones.* Para que ello ocurra, será condición que los individuos que la componen modifiquen su accionar. Ellos constituyen la vía a través de la cual la organización se expresa. Por ello insisto en que la nueva tarea del líder-coach, será la de capacitarse para generar contextos aprendientes que posibiliten la transformación del tipo de observador que son los miembros que las componen y colaborar asimismo en su capacitación, de modo tal de transformar acciones individuales en acción organizacional.

Se trata, entonces, no sólo de aprender y saber, sino también de preguntarnos *quién queremos ser.* Es *aprendizaje más transformación.* En este sentido, el coaching se constituye en una poderosa herramienta para diseñar futuro y gestionar un mundo diferente.

__Nada__ ha cambiado.
Sólo __yo__ he cambiado.
Por lo tanto,
__todo__ ha cambiado.

Proverbio hindú

Capítulo IV

Lenguaje. Procesos y herramientas conversacionales

«El mundo nos entra por los ojos, pero no adquiere sentido hasta que desciende a nuestra boca.»

Paul Auster

Lenguaje y coaching

«Una cultura es una red de coordinaciones de emociones y acciones en el lenguaje, que configura un modo particular de entrelazamiento del actuar y el emocionar de las personas que la viven. Yo llamo conversar, aprovechando la etimología latina de esta palabra que significa dar vueltas juntos, al entrelazamiento del lenguajear y el emocionar que ocurre en el vivir humano en el lenguaje. Más aún, mantengo que todo quehacer humano ocurre en el conversar, y que todas las actividades humanas se dan como sistemas de conversaciones. También sostengo que las distintas culturas como distintos modos de convivencia humana, son distintas redes de conversaciones, y que una cultura se transforma en otra cuando cambia la red de conversaciones que la constituye y define.»[1]

En mis seminarios con gerentes y líderes de empresas suelo preguntar: «¿Qué hacen mayormente en su trabajo?» Después de algunos cabildeos, la respuesta coincidente es: «¡Hablar!» Pero no se trata del hablar como pérdida de tiempo, sino que es un *hablar generador*.

1. Humberto Maturana, Prólogo de *El cáliz y la espada* de Riane Eisler, Editorial Cuatro vientos, Santiago de Chile, 1990.

El management mismo podría ser definido como el arte de coordinar personas, acciones y otros recursos para lograr objetivos en una organización. La responsabilidad gerencial va más allá de las competencias profesionales que una persona adquirió en su específica formación profesional. El manejo de tecnologías duras, el dominio de herramientas y la aplicación de técnicas operativas como metodología de trabajo son requisitos necesarios para el desarrollo de la gestión gerencial pero, sin duda, son insuficientes para producir sinergia en gestión de conocimientos, interrelaciones personales efectivas y/o aprovechamiento de las capacidades de un equipo de trabajo. Un altísimo porcentaje de tiempo de la jornada laboral es ocupada por estos líderes en la coordinación de acciones de personas y equipos. ¿Y a través de qué medio se lleva a cabo esta tarea? A través del lenguaje en cualquiera de sus expresiones, ya sea oral, escrito, corporal, etc. Correo electrónico, fax, teléfono, videoconferencia y otros, no son sino canales de comunicación y expresión del lenguaje.

Hablamos en el inicio de una concepción activa del aprendizaje. Dijimos que aprender es expandir nuestra capacidad de acción efectiva. Aprendizaje = acción. También el lenguaje es acción. Hablar es actuar. A través del lenguaje pedimos, prometemos, expresamos ideas y opiniones, presentamos propuestas y proyectos, tomamos decisiones, definimos acciones, coordinamos acciones con otros. Pero además, como señala Rafael Echeverría,[2] «nos transforma en seres que usan el lenguaje para construir sentido».

Por ello hablamos del poder generador del lenguaje. Claro que esto no siempre fue así. Durante muchísimo tiempo el lenguaje fue concebido como descriptivo y, por lo tanto, pasivo. Y esto no es errado ni vale desmerecerlo. Así podemos decir, por ejemplo, que aquello es un árbol. Que tiene raíces, tronco, ramas y hojas, etcétera. Desde esta concepción habría primero una realidad y luego está el lenguaje que la describe.

2. *Ontología del lenguaje*, Editorial Dolmen, Santiago de Chile, 1995, p. 240.

Gracias al lugar conseguido por la filosofía y la ontología del lenguaje, como le escuchara decir a Echeverría en sus conferencias, el lenguaje no sólo nos permite hablar «acerca de las cosas» sino que, al ser generativo, «hace que las cosas sucedan». Desde esta nueva concepción, junto a una realidad que está más allá del lenguaje, éste, por su carácter generativo y transformador crea realidades y nos posibilita diseñar futuro. Simplemente con decir «sí» o decir «no», abrimos o cerramos posibilidades para nosotros y para otros. Hace que las cosas pasen y lo que suceda afectará el futuro.

El coaching es esencial, aunque no exclusivamente, un proceso conversacional. Decimos no exclusivamente, porque también es emocional y corporal. Se apoya en gran medida en ese poder generador y transformador del lenguaje. Es un proceso de aprendizaje, en el cual transformamos el observador que cada uno es, quien –a través de la palabra– le dará un sentido a la observación. El coach acompaña al coacheado en su proceso de encontrar y diseñar nuevos sentidos y acciones. Coaching es una poderosa herramienta para gestionar un mundo diferente.

Entendiendo que somos seres lingüísticos, emocionales, corporales y de acción, el coaching opera en el dominio del lenguaje, de la conversación, articulando elementos de la lingüística y la ontología del lenguaje con conceptos, técnicas y herramientas del campo de la psicología, la filosofía, lo corporal, la biología y el pensamiento sistémico.

Consultados aproximadamente 300 empresarios, gerentes y líderes que participaron en nuestros seminarios, coincidieron en que el tiempo horario dedicado al trabajo ocupaba entre el 70 y el 90% de su día. ¿Cuánto de ese tiempo lo invertían en reuniones? ¿Cuánto en teléfono? ¿Cuánto en responder o escribir mails? ¿Qué hacían entonces en el 70 o el 90% de su día?: coordinar, dirigir, comunicar, acordar, planificar, pedir, evaluar, etc. Todas y cada una de estas acciones a través del hablar. Hablar y –con muchas deficiencias– escuchar lo que otros hablan. Pasamos nuestro tiempo en conversaciones. Hablando y escuchando.

Esas conversaciones, ¿generan el futuro que queremos?; ¿por qué, a pesar de tantos libros que nos dicen cómo hacer las cosas, no cambian los resultados? Se trata de cambiar el observador que somos, para resaltar ahora que *si los resultados no se producen, tal vez tengamos que cambiar nuestras conversaciones.*

El devenir de la conversación en una sesión de coaching lleva al coachee a preguntarse: ¿cómo puedo colaborar para generarme un futuro diferente al que veo?

«No es posible», «no va a andar», «ya probé... pero», «como es ahora no es tan malo», «en otro momento». Éstas, más otro variado repertorio de explicaciones, cierran o matan posibilidades. Muchas de nuestras realidades del presente fueron pensamientos considerados como imposibles en el pasado. La posibilidad nunca es un hecho: abre nuevas realidades.

En este sentido, *mi concepción acerca del coaching parte de la premisa de que los coacheados son una mayor posibilidad de lo que ellos mismos consideran que son.* El coach es un socio colaborador en la asunción de responsabilidad, compromiso y acción.

Distinciones del lenguaje y herramientas conversacionales

Al hablar de crear realidades y diseñar futuro, hablamos de posibilidades. ¿Cómo transformar conversaciones infructuosas o im-posibles en conversaciones de posibilidades? ¿Cuáles son las competencias conversacionales que harán diferencia en la apertura de posibilidades?

El conocimiento exhaustivo de ciertas distinciones del lenguaje y el dominio absoluto de las herramientas de intervención son requisitos fundamentales para quien pretenda ser coach.

Este apartado tiene como objetivo analizar aquellos actos lingüísticos básicos que posibilitan una mejor escucha y comprensión en el proceso de coaching. Presentaremos un enfoque centrado en el coaching y fundado en la relevancia que estos actos adquieren en su proceso. Su aplicación práctica se verá luego en el capítulo referido a los siete pasos del coaching.

Observaciones y juicios

«Toda idea es siempre dicha por alguien que, al emitirla, revela quién es.»

Nietzsche

Una primera distinción para tomar en cuenta se da entre los llamados 1) hechos u observaciones y 2) las opiniones o juicios. Tomemos dos afirmaciones: Juan es alto y Juan mide 1,90 m. Suenan parecido, pero son distintas. Alrededor de este tipo de descripciones suelen generarse confusiones, pérdidas de tiempo y energía que, a veces, son intrascendentes, pero en otras ocasiones terminan generando malestar personal e interpersonal y entorpeciendo tareas y toma de decisiones. ¿Cuál es la diferencia? La primera es una evaluación subjetiva mientras que la segunda se basa en datos empíricos. En una estamos haciendo una aseveración personal desde el punto de vista de quien la emite y en la otra nos basamos en datos mensurables, confirmables y compartidos consensuadamente por los miembros de una misma comunidad, entre quienes hay un entendimiento común y compartido acerca de lo que eso significa. Kofman la llama una misma «comunidad biolingüística: grupo de personas que comparten una misma condición biológica y un mismo lenguaje».[3]

Juan –como observación– puede medir 1,90 m, pero puede –como opinión– no ser considerado alto si quienes emiten el juicio pertenecen a la comunidad de seleccionadores de jugadores de basquet. Un lápiz puede ser considerado bueno por un niño para sus tareas escolares y malo para que un arquitecto diseñe planos. Ambos, niño y arquitecto, coincidirían en el hecho de que el lápiz es de grafito.

3. *Metamanagement*, Granica, Buenos Aires, 2001, T. II, p. 73.

Otro ejemplo:

- Juan llegó tarde a las últimas tres reuniones de equipo. (Observación/hecho)
- Juan no está interesado en el proyecto. (Opinión/juicio)

Esta distinción se torna relevante en las conversaciones de coaching. Muchísimas consultas en coaching tienen que ver directamente con quiebres personales e interpersonales generados por confusiones en esta distinción. El error radica en que muchas veces confundimos ambos conceptos y tenemos conversaciones y discusiones basados únicamente en opiniones, sin detenernos en los hechos, y es muy habitual que transformemos nuestras opiniones en un hecho y luego tomemos decisiones, accionemos o re-accionemos, como si realmente lo fueran.

Con frecuencia, observo en mis cursos que después del desarrollo conceptual de este tema se produce lo que llamo el «sindrome fáctico». ¿Qué es esto? En el receso salen los participantes a tomar un café y basta que alguien diga: «¡Está rico!», para que varios dedos acusadores le digan en broma y en tono de reproche: «¡Eso es un juicio!» (como si fuese algo malo). Observaciones y juicios no son buenos ni malos, ni las observaciones son mejores que las opiniones.

Las observaciones pueden ser ciertas o falsas; los juicios, fundados o infundados. ¿Cómo sé que Juan es alto? ¿O que Juan no muestra mucho compromiso con la tarea? ¿o que Juan no es un líder natural? La respuesta tendrá que ver con cuáles son los hechos en los que fundamos una opinión, cuál es el estándar desde el cual evaluamos. Dos personas pueden acordar acerca de los hechos de una situación, pero partir de diferentes estándares para evaluarlos.

En nuestra vida cotidiana estamos permanentemente haciendo múltiples observaciones y emitiendo infinitos juicios. Algunos son más o menos conscientes o meditados y nos percatamos de ellos; otros son más inconscientes y automáticos. Algunos los expresamos, otros los ocultamos o postergamos. Muchos son irrelevantes, otros se tornan relevantes. Juan y yo podemos tener juicios opuestos acerca de la comodidad de una silla. Esta divergencia de opinión es irrelevante si lo que estamos haciendo es compartir un café y un diálogo personal –que en sí podría transformarse en lo relevante de ese encuentro–, pero sería diferente si nuestra divergencia tuviera que ver con la necesidad de decidir una compra de 500 sillas para la empresa en la que trabajamos. (No sólo no está mal opinar, sino que nos pagan por opinar). Opinamos para comprar, vender, invertir, fabricar; en otros ámbitos opinamos para decidir a cuál colegio enviar a nuestros hijos, dónde pasaremos nuestras vacaciones, cuál es el mejor plan de salud, etc.

Para evaluar si un juicio/opinión es productivo es importante reconocer por lo menos cinco aspectos. A saber:

1. *Admisión*: lo que se expresa no lo constituye en hecho. Es una opinión, muy importante para mí (quien la emite), pero es *mi* opinión. Tener esta concepción implica la idea (valor) de humildad (aunque creo firmemente en mi opinión, reconozco que no es la única y que puede no ser la más adecuada o válida).
2. *Fundamento*: dar observaciones, ejemplos, datos en los que esa opinión se funda.
3. *Estándar*: ¿cuál es la medida o supuesto desde la cual es emitido?
4. *Proceso de razonamiento*: ¿cómo llego a esta conclusión a partir de los datos que obtuve?
5. *Objetivo*: ¿que finalidad me mueve a emitirlo? ¿Para qué? ¿Qué preocupación, deseo o incumbencia tengo?

Una manera que me resulta práctica para internalizar estos elementos es pensar en presente, pasado y futuro:

Mi opinión es...	(presente)	¿Cuál es mi juicio?
Mi juicio lo fundamento en...	(pasado)	¿Por qué lo digo?
El objetivo que me mueve a emitirlo es...	(futuro)	¿Para qué lo digo?

Tan importante como la fundamentación (*por qué*) es el *para qué* de mi opinión.

Un relato cuenta que se acerca un discípulo al maestro y le dice:
–Maestro, quiero contarte que una persona estuvo hablando de ti con malevolencia.
(¿Alguna vez escuchó algo parecido a esto en su equipo o empresa? Si es así, lo invito a seguir leyendo el relato.)
El maestro lo interrumpe diciendo:
–¡Espera!, ¿ya hiciste pasar a través de las tres barreras lo que me vas a decir?
–¿Las tres barreras? –pregunta el discípulo.
–Sí –replica el sabio–. La primera es la verdad: ¿ya examinaste cuidadosamente si lo que quieres decirme es verdadero*?*
–No..., sólo lo he oído decir a unos vecinos.
–Pero al menos lo habrás hecho pasar por la segunda barrera que es la bondad*; lo que quieres decir, ¿es por lo menos bueno?*
–No, en realidad no. Al contrario...
–¡Ah!– interrumpió el maestro–, entonces vamos a la última barrera: ¿es necesario *que me cuentes eso?*
–Para ser sincero, no. ¡Necesario no es!
–Entonces –sonrió el sabio maestro–, si no es verdadero, *ni* bueno, *ni* necesario, *... ¡sepultémoslo en el olvido!*

Coaching, observaciones y juicios. Pautas clave para la intervención del coach

«No existe la verdad, existe sólo la interpretación.»

F. Nietzsche

Es bastante frecuente, sobre todo en el ámbito de los equipos de trabajo, escuchar conversaciones semejantes a las del inicio de este cuento. Su resultado por lo general es difamar a alguien, emitir juicios sin fundamento y promover acciones que traen como consecuencia malestar personal, ruidos interpersonales y quiebres, que en última instancia se harán sentir también en los resultados de la tarea. ¿Cómo operaría un coach ante esta situación? ¿Qué haría un líder o manager que haya desarrollado competencias como coach?

En principio iniciaría el proceso generando un contexto de confianza y confiabilidad que haga posible un diálogo transparente. Luego, mediante herramientas conversacionales, conduciría el proceso ayudando al interlocutor a observarse a sí mismo, a escuchar y escucharse, reflexionar, plantearse objetivos y diseñar nuevas acciones. Preguntaría, por ejemplo: ¿Para qué me cuentas tal cosa? ¿Qué te gustaría que pase con eso? ¿Cuál es tu objetivo al contarlo? ¿En qué te molesta o perjudica lo que pasó? ¿Cuál es tu opinión al respecto? ¿Qué sientes? ¿Cuáles son tus fundamentos para decir eso? ¿En qué te basas? ¿Qué piensas y no dices? ¿En qué te beneficia o perjudica decirlo? ¿Cuál es el beneficio o perjuicio de callar? ¿Qué podrías hacer?, o –en otras palabras–: ¿Qué acción podrías llevar a cabo para estar en paz, actuando con dignidad y sin dañar la relación?

Según Echeverría, «los juicios siempre hablan de quienes los emiten. Un aspecto fundamental de la disciplina del coaching consiste en aprender a tratar los juicios que las personas hacen, como ventanas al alma humana».[4]

Esta distinción es sumamente importante para la escucha activa del coach porque, como veremos luego, uno de los pasos fundamentales en el proceso es trabajar muchas veces sobre la narrativa del coachee para ayudarlo a discriminar y desarticular falsas creencias acerca de algunas cuestiones que, siendo opiniones, han sido transformadas en hechos.

4. *Ontología del lenguaje*, citado, p. 121.

Desde esta concepción –y también a los efectos del coaching– entendemos que *observaciones y juicios apuntan directamente al concepto de acción*. Tener claridad en esta distinción nos posibilitará actuar con mayor eficiencia. Ambos se complementan, abriendo enormes posibilidades de acción.

Método de investigación de las dos columnas. La columna izquierda: ¿de qué hablamos cuando no hablamos de lo que deberíamos hablar?

«Trágate sapos y vomitarás dragones.»

Dicho popular

Mucho tiempo atrás, siendo practicante hospitalario de psicología, escuché en boca de mi supervisor la siguiente frase: «Toda libido que no se expresa como caricia o como insulto queda internalizada y finalmente se hace tóxica». Años después estos dichos adquirieron mayor sentido, cuando accedí al método desarrollado por Chris Argyris y Donald Schon.[5] La idea central de este método es tomar conciencia de un subtexto que subyace en todas nuestras conversaciones. Este subtexto, no siempre consciente, está conformado por supuestos tácitos e implícitos, que por lo general terminan siendo desplazados, ocultados o negados, pero que, no obstante todas estas acciones, siguen estando presentes en las conversaciones, provocando muchas veces situaciones no deseadas en lo personal, en lo interpersonal y también en la eficacia de lo que esperamos como resultado. En ese subtexto suele haber pensamientos y todo tipo de juicios que son evitados por considerárselos peligrosos o riesgosos de decir. La importancia de esta metodología

5. *Theory in practice*, Jossey Bass, San Francisco, 1974.

consiste en explorar esos juicios y aprender a expresarlos honesta y honorablemente ya que encierran una poderosa riqueza que nos posibilitará diseñar y rediseñar conversaciones.

Años atrás fui propietario de una chacra en la que tuve a la naturaleza como uno de mis mejores maestros y donde todos los que pasamos por los talleres que allí organizábamos hicimos grandes aprendizajes de vida. Teníamos allí, además de la huerta, un gallinero, ovejas y vacas. Ricardo, el ingeniero agrónomo que organizaba nuestra huerta nos enseñó a hacer el compost que luego haría más rica y productiva la tierra en la que sembrábamos. El compost tenía desechos orgánicos y, entre ellos, los excrementos vacunos. Para muchos –sobre todo los habitantes de la ciudad–, recoger «eso» con las manos, al principio no era nada agradable ya que el observador que éramos sólo veía «bosta». Al tiempo, la práctica nos ayudó a transformar el observador que éramos y lo que antes se consideraba desecho, se transformó en «fertilizante». Vimos un mundo de sentido diferente. Encontrábamos en «eso», una poderosa riqueza que potenciaba nuestros productos.

¿Por qué este relato? Por la analogía que tiene con la columna izquierda, con el subtexto de nuestras conversaciones; si en lugar de negarlos aprendemos a procesarlos, veremos que encierran un enorme potencial.

No hace mucho, en excavaciones que se hicieron en Buenos Aires, en la zona donde se levantó la ciudad colonial, fueron encontrados, en el fondo de un aljibe, desechos, restos de vajilla y utensilios varios. Lo que hace siglos seguramente fue arrojado allí como «basura», se transformaba en nuestros días en fuente de una enorme riqueza para la investigación de culturas pasadas.

¿Qué es la columna izquierda y cómo procesarla? «Columna izquierda es una técnica para 'ver' cómo operan nuestros modelos mentales en situaciones particulares. Revela cómo manipulamos las situaciones para no afrontar nuestros verdaderos sentimientos y pensamientos obstaculizando la corrección de una situación contraproducente».[6] En situaciones conflictivas frustramos oportunidades para el aprendizaje.

Como me pasa en este momento, mientras estoy escribiendo, podemos acordar en que el pensamiento es más rápido que el movimiento de las manos; en toda conversación también suele haber cosas que no decimos.

Muchas veces no las mencionamos por el simple hecho de que pensamos con mayor rapidez de lo que hablamos; otras, porque son cosas no relevantes para la conversación; en ocasiones, ni siquiera tomamos conciencia de eso que segundos antes estábamos pensando. Pero muchas, muchísimas veces, sí tomamos conciencia, resultan más que relevantes, hacen a la conversación y sin embargo las evitamos, dejándolas en un espacio aparte de lo que explícitamente decimos y las dejamos caer en una imaginaria columna aparte, a la izquierda. Esto es: si transcribiéramos en una hoja de papel la grabación de una conversación tendríamos lo que en ella fue dicho explícitamente. Igual si se tratara de una conferencia, una entrevista, etc. Pero aceptaremos que quienes dialogaron tuvieron cosas que fueron pensadas y sentidas, pero no dichas por alguna(s) de las razones arriba expuestas.

Como cineasta aficionado aprendí que una forma de escribir guiones, consiste en dividir una hoja por la mitad con una línea vertical. Del lado derecho escribimos lo que cada personaje dice y sobre el lado izquierdo escribimos la acción que realiza. En el método de dos columnas –siguiendo a Argyris y Schon– pondremos en el margen derecho lo que los protagonistas de la conversación dicen explícitamente y en la columna izquierda los pensamientos y sentimientos evitados. Veamos un ejemplo:

---

6. Peter Senge, *La quinta disciplina*, Editorial Granica, Barcelona, 1992, p. 248.

CONVERSACIÓN ENTRE DANIEL (LÍDER DE PROYECTO) Y FEDERICO (DIRECTOR DE ÁREA). OFICINA DEL DIRECTOR.

Columna izquierda: pensamientos y sentimientos no dichos	*Columna derecha*: lo explícito; lo que fue dicho
¿Cómo estará hoy de ánimo?	Daniel (D): ¡Hola Fede! Buen día Federico (F): Buen día, adelante, pasá...
Está muy serio. Seguramente que nada lo conformará.	D: Disculpame la demora, mucho tránsito.
¡Cambiá de excusa! ¡Siempre llegás tarde! Me saca de quicio. Prefiero mirar el proyecto a solas.	F: pasemos a lo nuestro, en 10 minutos tengo otra reunión.
Siempre tiene otras prioridades. Nunca hay tiempo para mis cosas. Me atrasé porque nunca tuve la oportunidad de reunirme antes con vos.	D: aquí está el diseño terminado. Estamos un poco atrasados, pero igual llegamos. F: (hojea rápidamente): dejámelo que más tarde lo miraré con más detenimiento.
¡Otra vez lo mismo! Me dan ganas de mandar todo al diablo. Después introduce cambios sin consultarme; nunca una felicitación. Espero que además no se atribuya la autoría.	D: OK, avisame. El equipo está ansioso y entusiasmado con el proyecto.

En este caso, Daniel y Federico son conscientes de su tirante relación. Ambos querrían vincularse de otra manera. Profesional y técnicamente son competentes y en ese aspecto se respetan; pero, aunque no explícitamente, sino en las manifestaciones de su accionar, se declaran incompetentes en la posibilidad de modificar el decurso de su vínculo personal. La respuesta es la evitación o la hipocresía, resolución que no es gratuita ya que tiene el alto costo de terminar afectándolos no sólo en lo interpersonal, sino también en lo personal (irritación, malestar físico, insomnio, desmotivación, etc.), cuestión que se extiende al equipo y a los resultados en la tarea.

Ejemplos como el precedente se repiten permanente y cotidianamente. Si aprendemos a aprovecharlos, encierran una enorme oportunidad para diseñar o rediseñar conversaciones, reparar situaciones que nos dejaron insatisfechos, generar diálogos transparentes y profundizar vínculos con relaciones de mayor confianza y confiabilidad. Por supuesto, los resultados que esperamos también serán mas productivos.

¿Cuáles son los contenidos de una columna izquierda? Bronca, rechazo, fastidio, miedo, descalificación, intolerancia, dudas, resentimientos, desconfianzas, etc. Básicamente, estará llena de juicios, además de supuestos, interpretaciones, sensaciones y emociones. Y no sólo negativas. Más de lo que creemos, encontraremos allí sentimientos de los llamados «buenos» o positivos como la ternura o el amor (por ejemplo, ¿cuántas veces los hombres no le decimos a un amigo cuánto lo queremos?)

¿Por qué no expresamos esos pensamientos y sentimientos que quedan en la columna izquierda? Porque si lo hiciéramos tememos a las consecuencias no deseadas, a quedar expuestos, a la retaliación, a ser mal conceptuados, descalificados, perder el empleo, ruptura del vínculo, etc. (¿Cuál sería la consecuencia no deseada de decirle a un amigo cuánto lo queremos?: quizás, simplemente, sentir vergüenza.)

Se produce entonces una situación aparentemente sin salida, sin solución: si expreso la columna izquierda las consecuencias no son aconsejables; pero si la callo, las consecuencias –aunque aparentemente tranquilizantes en el corto plazo– a mediano y largo alcance también son negativas y provocarán el mismo resultado

¿Qué hacer entonces? La propuesta es que transformemos lo rechazado en la columna izquierda en un poderoso «fertilizante».

Coaching y método de la doble columna. Pautas clave para la intervención del coach

Colaborar con el coachee para el aprendizaje de procesar sus diálogos internos es uno de los procedimientos enriquecedores del coaching. «Las palabras, sentimientos e imágenes que aparecen en su columna izquierda no pueden ser desplazadas, eliminadas o rehuidas. La columna izquierda no es una elección, ocurre con independencia de la voluntad de la persona».[7] En otras palabras, no puedo elegir tenerla o no tenerla; aparece. Un ejemplo que me resulta simpático es el de imaginarnos empujando un carrito frente a las góndolas de un supermercado. Vamos introduciendo en él los productos que seleccionamos; de pronto, observamos en el interior del carro que hay otros artículos que no deseamos ni hemos elegido. Los sacamos y dejamos en un estante para continuar nuestro camino, pero al rato vuelve a ocurrir lo mismo. Nuevamente nuestro carrito se ha llenado de artículos y objetos no deseados. ¿Quién los puso allí?, ¿cómo llegaron si no los queremos? Y así repetida e ininterrumpidamente. Ésa es nuestra columna izquierda. Llena de pensamientos, sensaciones, imágenes; no deseadas, innecesarias. En realidad no tenemos columna izquierda; ella nos tiene a nosotros. No existe tal cosa como «yo no tengo columna izquierda, yo digo todo lo que pienso». Porque aun en ese caso, en el momento en que vacié mi columna izquierda, ya habrá otro contenido. Personalmente opino que no hay pecado de pensamiento. No hay culpa por lo que pienso, pero sí hay responsabilidad por mis actos. Sí puedo elegir qué hacer en consecuencia.

7. Fred Kofman, *op. cit.*, p. 47.

Por ejemplo, estoy viajando en el subterráneo repleto de pasajeros. La señora de al lado, excedida de peso, no puede mantener el equilibrio y, sin proponérselo, me pisa. Ante la molestia o el dolor mi reacción automática es cerrar el puño, apretar los dientes y pensar un improperio. La señora ofrece sus disculpas y yo, amablemente, sin compartir mi columna izquierda, respondo: «no hay problema». No elegí cerrar el puño agresivamente, ni pensar lo que pensé. Apareció. Sí puedo elegir mis acciones: agredirla o amablemente aceptar sus disculpas. No se trata de pasarnos la vida procesando nuestras columnas izquierdas. Hay conversaciones o situaciones relevantes y otras no, como en este caso que terminó con las disculpas que contribuyen a la buena convivencia.

¿Cómo traer a la columna derecha nuestros supuestos ocultos de la izquierda? Cuando muestre el caso a la otra persona, no lo enfoque como una manera de *sincerarse*. Tampoco se trata de *embellecer* la columna izquierda redefiniendo sus pensamientos con un toque de *amabilidad cosmética*. Como señala Robert Putnam, tal vez convenga callar algunos pensamientos de la columna izquierda. Nuestros censores internos a veces son bastante sabios, pues estos comentarios causarían estragos si se dijeran en voz alta. El propósito es plantear los supuestos y malentendidos cuya resolución contribuirá a una conversación fructífera en el futuro.[8]

Cómo procesar nuestros juicios

Hablando de herramientas conversacionales, junto a las distinciones fundacionales en el coaching, articulamos distinciones del lenguaje. En este caso serán los juicios u opiniones de nuestra columna izquierda las que serán pasibles de una depuración (no cosmética), procesamiento o detoxificación. Muchos problemas de columna izquierda se producen porque confundimos hechos con

8. Rick Ross y Art Kleiner, *La quinta disciplina en la práctica*, Editorial Granica, Barcelona, 1995, p. 260.

opiniones. Como dijimos antes, transformamos nuestras opiniones en un hecho y actuamos en consecuencia. Es más, muchísimas veces operamos con arrogancia; otras, como si afirmáramos: «todo lo que tú dices es meramente una opinión; en cambio, si yo te digo algo, tómalo como un hecho».

Algo para reiterar y destacar es que las observaciones son descripciones de «hechos objetivos», confirmables por cualquier miembro de una misma comunidad lingüística. Los juicios u opiniones son descripciones subjetivas. Describen como cada particular persona (observador) ve u otorga sentido a una situación que a su vez está condicionada por el filtro de sus modelos mentales. Entonces, y a los efectos de una mejor comprensión respecto al modelo de las dos columnas y su relación con los juicios, debemos tener claridad en una distinción: cuando describimos observaciones o hechos, estamos hablando del mundo; pero cuando emitimos juicios u opiniones, estamos hablando más de nosotros mismos, de la particular perspectiva que como observadores tenemos acerca del mundo.

Por ejemplo:

- Mi jefe es injusto.
- El ajedrez es difícil.

Ambas formulaciones son juicios, pero el ajedrez no es fácil ni difícil. Es un juego. Mi jefe es una persona con un rol más jerárquico, pero no es justo ni injusto. Fácil, difícil, justo, injusto, son apreciaciones que hablan más de la persona que las emitió que del objeto o persona de la que se habló.

Cuando sea relevante, ¿cómo hago para expresar mi diálogo interno sin dañarme, sin dañar al otro y sin dañar la relación? ¿Qué hago con mi honestidad? ¿Cómo mantengo mi dignidad si actúo contrariando mis valores? (respeto, humildad, compasión, etc.) ¿Cómo hacer para no tragar sapos pero tampoco vomitar dragones? Veamos:

- El ajedrez es difícil.
- El lápiz es negro (suponiendo que el que vemos es negro).

Sintácticamente, estas dos oraciones son iguales. Tienen sujeto y predicado; pero la primera es una opinión (ya que a mucha gente no le resulta difícil) y la segunda es un hecho.

¿Cómo procesar la opinión?: *el ajedrez es difícil.* ¿De qué estoy hablando, cuál es el sujeto? El ajedrez.

Un primer paso para procesar, sería, como vimos cuando hablamos de juicios, «apropiarnos» de la opinión: ***Yo** opino que el ajedrez es difícil.* ¿Quién es ahora el sujeto?: yo. Para muchas situaciones este primer paso sería suficiente, pero en algunas conversaciones no genera mucho cambio ya que, como en este caso, sigo hablando del ajedrez, más que de mí.

Un segundo paso para ir más profundo, es buscar en aquella verdad más esencial que se halla por detrás de la formulación. Por ejemplo, *Me es dificil aprender a jugar ajedrez.* Aunque lo menciono, ya no hablo del ajedrez, sino de mí. Está más enfocado en el sujeto que habla.

Se trataría no de definir la cosa o la cuestión, sino de mi relación con la cosa o cuestión.

¿Cómo se vería esto mismo en una afirmación o conversación más comprometida o difícil? (De ésas que preferimos dejar caer en la columna izquierda.)

Por ejemplo:

- Tus propuestas son tontas. (Sin procesar)
- Yo opino que tus propuestas son tontas. (1er paso desintoxicante)
- No acuerdo con tus propuestas (o tengo una opinión diferente). (2º paso)

- Sos un insaciable.
- Yo opino que sos un insaciable.
- No sé qué hacer para satisfacerte.

¿Cuál es la verdad esencial en estas afirmaciones?, ¿cuál es el objetivo al expresarlas? ¿Es denigrar al otro, o tomar una decisión acertada? En las dos primeras líneas hablamos *del* otro, y lo hacemos desde la descalificación. En la última, dialogamos *con* el otro manifestando desacuerdo, y respetuosamente invitamos al interlocutor a escuchar nuestra opinión. El interés estará puesto en llegar a alguna conclusión que nos guíe hacia una correcta toma de decisiones.

Si tomáramos como ejemplo la conversación anterior entre el líder de proyecto y su jefe reconoceríamos que la necesidad esencial de Daniel es ser reconocido en la tarea por su director, y más aún, por detrás de ésta, recuperar la motivación perdida. Su necesidad no es «vomitar dragones» (ni seguir «tragando sapos»). Si lo hiciera, probablemente sentiría un alivio pasajero, pero las consecuencias no serían buenas. En este caso, el aprendizaje transformacional que implica un coaching, va a focalizar en «procesar» su columna izquierda transformándola en un poderoso fertilizante para expandir su capacidad de acción efectiva. Callar su diálogo interno es una salida, pero incrementa su falta de motivación; mandar todo al diablo es otra posibilidad de acción, pero perdería la posibilidad de desarrollar un proyecto que lo entusiasma. Un antiguo proverbio judío dice: «Cuando tengas dos alternativas igualmente malas, ¡elige una tercera!». La tercera posibilidad que surgió en el coaching de este ejemplo fue «detoxificar» la columna izquierda, encontrar la verdad esencial por detrás del enojo y la frustración, y diseñar un nuevo diálogo con su jefe con el fin de generar una respuesta diferente.

Sos un ingrato (o injusto).	
Yo pienso que sos un ingrato.	Sería un primer paso, pero acordemos que mucho no ayudaría. ¿Cuál es su emoción más profunda?: dolor. ¿Cuál su necesidad?: *feedback*, motivación, reconocimiento.
Me siento dolido, o molesto (y querría conversarlo con vos).	

A partir de aquí, podría abrirse un diálogo donde el hablante formularía su juicio productivamente de acuerdo con los cinco elementos que vimos en el apartado sobre observaciones y juicios.

Son incontables las sesiones de coaching en las que la consulta del coacheado responde a una preocupación por su forma de ser a este respecto. Lo que escucho repetidamente es: «Yo voy de frente y digo todo lo que pienso. A la gente eso no le gusta; pero yo intento ser honesto». «¿Y cómo te va siendo así?», es mi pregunta. «Mal, ¡para el diablo!», me responden. «Y entonces, ¿cuál es el sentido de hacerlo de esa manera?, ¿cuál es tu objetivo último?», pregunto.

No se trata de decir «toda» la verdad, ni tampoco de traicionar nuestros valores. El sentido último sería –insistimos– cómo decir «mi» verdad, con dignidad. Respetando mis pensamientos y emociones, y también respetando al otro.

En el coaching de las columnas izquierdas podemos observar con mucha claridad cómo se articulan, en la práctica, varios de los conceptos hasta aquí desarrollados. En principio, y como sabemos, la columna izquierda está repleta de juicios –muchas veces transformados en hechos– y la tarea del coach será ayudar a reconocer y discriminar. Luego, aparecen claramente los aspectos fundacionales como aprendizaje y responsabilidad. Aprendizaje, porque procesar la columna izquierda implica aprender a pensar de manera diferente, a ser un observador diferente y a relacionarnos de un modo diferente; responsabilidad, porque considero que somos co-creadores de nuestra realidad y desde allí elegimos asumir el poder y la responsabilidad de dar nuevas respuestas (generativas) en la acción. La pregunta implícita en la indagación del coach al coachee, es: ¿cuánta responsabilidad estás dispuesto a asumir? ¿cómo podés asumir responsabilidad frente a esta situación?

Es simple, ¡aunque no fácil! ¿Por qué? Porque como dice Senge, «la gente no se resiste al cambio; se resiste a ser cambiada». Operar desde esta visión implica un profundo compromiso personal con el cambio, con la coherencia en relación con los valores que decimos sustentar. *La variable de ajuste no es la cosa o la situación sino el observador que somos.* No se trata de cambiar las reglas del ajedrez para hacerlo fácil, sino de esforzarnos largas horas para expandir nuestra capacidad de jugar al ajedrez. No se trata de cambiar al otro; la variable del cambio es uno mismo. Nuevamente, ¡respons(h)abilidad! La variable de ajuste no será el juego ni el jefe, sino el coachee, el observador.

Las preguntas del coach en un momento del proceso serán:* ¿cuál es tu diálogo interno? ¿Qué cosas piensas y sientes que no estás diciendo en determinada situación? ¿Qué vas a hacer con ello? ¿Cuál es tu verdad más esencial que se esconde por detrás de la columna izquierda? ¿En qué aspectos eres parte contribuyente de esta situación que te aqueja? ¿Cómo puedes contribuir a generar un cambio en esta situación? ¿Cómo decir tu verdad, sin traicionarte y sin traicionar tus valores? En el coaching, la escucha y la indagación del coach para ayudar en estas distinciones es más que relevante, y abre nuevas posibilidades de acción efectiva.

Escalera de inferencias

Vivimos en un mundo de sentidos. Como observadores del universo que somos, generamos creencias sobre la base de observaciones. Ante determinados hechos, basándonos en datos del presente, sumados a experiencias del pasado y con el filtro de nuestros modelos mentales, solemos emitir opiniones y definir acciones.

Chris Argyris desarrolla el concepto de «escalera de inferencias: un camino mental de creciente abstracción que conduce a creencias erróneas».[9]

Así como vivimos opinando, no podemos evitar la columna izquierda ni tampoco sacar conclusiones ni agregar sentidos a nuestras observaciones.

¿Cómo opera la escalera de inferencias en relación con nuestros juicios y acciones?

---

* Ver los siete pasos del proceso.

9. Chris Argyris, *Overcoming Organizational Defense*, Needham, Allyn and Bacon, Massachusetts, 1991, mencionado por Rick Ross, *op. cit.*, p. 253.

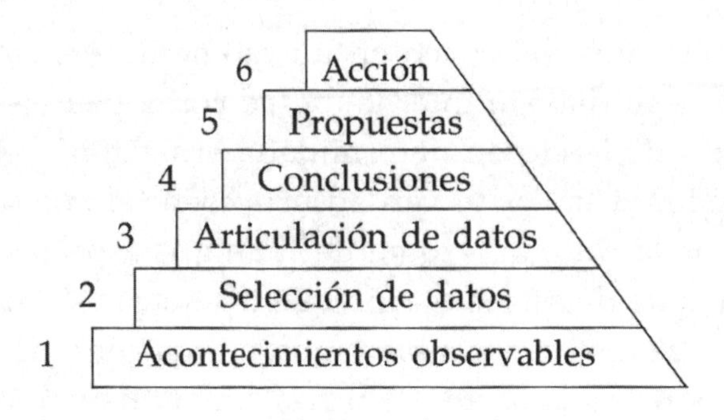

FIGURA 5
La escalera de inferencias

Este modelo describe cómo actuamos basándonos en subjetividades que muchas veces están sólo muy sutilmente relacionadas con lo que observamos.

Analizando el esquema desde abajo hacia arriba nuestro proceso de razonamiento en la construcción de un juicio sería el siguiente:

1. Tenemos los hechos, personajes, situaciones, sobre las que «objetivamente» se hacen o dicen cosas.
2. Seleccionamos datos, observaciones (filtradas por el modelo mental del observador y que resultan relevantes para su persona o creencia).
3. Articulamos esos datos, agregándole sentidos y haciendo una interpretación a la que sumamos inferencias, supuestos y creencias personales y culturales.
4. Sacamos conclusiones (que pasan a transformarse en «la» verdad).
5. Sobre la base de esos antecedentes formulamos propuestas de acción.
6. Acción propiamente dicha.

Como ejemplo, recuerdo la siguiente anécdota que fuera relatada por uno de los gerentes de una empresa de telecomunicaciones en uno de mis seminarios:

1. Microcentro de la Ciudad de Buenos Aires, al mediodía; congestión de tránsito y también de personas caminando y desarrollando diferentes actividades. Un joven vistiendo ropa casual corre con un maletín en la mano. Unos cuantos metros más atrás, siguiéndolo en carrera, dos personas vestidas como gente de negocios. Un agente de policía comienza a perseguir al joven quien, sin resistirse, se detiene ante la amenaza del policía. Intenta dar alguna explicación. Llegan al lugar las otras dos personas.
2. y 3. De acuerdo con el observador, a la selección de datos y su articulación probablemente la conclusión haya sido: el joven es un delincuente, ha arrebatado el portafolio con dinero a los dos ejecutivos que lo corrían y fue atrapado por el agente de seguridad.
4. Diferentes observadores emitirán juicios: «hay que matarlos a todos», «la policía no sirve para nada», «la inseguridad en las calles es cada vez mayor», «qué tontos los dos hombres en caminar sin custodia», «no se debe trasladar dinero de esa forma», «se lo tienen merecido porque ésos son los que nos roban», etc.
5. Propuestas de acción: gritar pidiendo auxilio, o «mejor no meterse», o «hay que colaborar y perseguirlo», etc.

¿Cuál había sido la situación original? Era el último día de presentación a una licitación. Estaban demorados y vencía el horario de entrega. Sergio, el gerente que relató el episodio, junto con un colaborador de su equipo y un joven cadete, viajaban en taxi muy preocupados por el embotellamiento de tránsito. Decidieron continuar a pie las pocas cuadras que les quedaban y mientras él pagaba al taxista, le solicitó al cadete que se apresurara para llegar antes de que cerraran la oficina donde debían entregar el proyecto.

¿Cuántas veces nos acontece en la vida que hacemos este tipo de inferencias? ¿Cuántas veces inferimos que el bostezo de otra persona es falta de interés o aburrimiento, cuando en realidad se trata de agotamiento por haber cuidado a la hijita que estuvo con fiebre toda la noche? U otras donde el silencio del otro en una presentación es inferido como desacuerdo, rechazo, o poca participación, cuando podría ser respeto, escucha activa y reflexiva, o simplemente timidez? De aquí a las generalizaciones o fundamentalismos hay un corto trecho: «los argentinos son...», «las mujeres creen...», «los judíos siempre...».

Todos hacemos inferencias y a veces nuestras interpretaciones coinciden con los hechos, pero muchas otras no, motivando enormes dificultades conversacionales y de interacción. La inoperancia, la falta de efectividad, la desconfianza, los enfrentamientos, el malestar en los vínculos, pasan a ser la resultante en la interacción.

Lo que acontece es que, en lugar de subir peldaño a peldaño, las más de las veces usamos un «ascensor de inferencias» y sólo ante la presencia de algunos datos del peldaño inferior, pasamos rápidamente al peldaño de las propuestas o de la acción. (Senge las llama «brincos de abstracción»).

Surge otro factor de inoperancia cuando en una discusión, o ante la presentación de ideas o propuestas diferentes entre dos personas, nos quedamos estancados en estériles discusiones por posiciones y no por intereses (del tipo «yo tengo razón»; «¡no!, yo tengo la razón»). Las exposiciones se tornan cada vez mas rígidas, amenazantes y estancas porque nos creemos «los dueños de la verdad». Después de subir con el ascensor de inferencias, la interacción se detiene en el peldaño de las propuestas y, si no acordamos en la acción a seguir, pateamos la decisión para adelante con la consiguiente pérdida de tiempo, recursos, y paciencia.

«Atienda sus pensamientos, porque se tornan palabras.
Escoja sus palabras, porque se tornan acciones.
Entienda sus acciones, porque se tornan hábitos.
Estudie sus hábitos, porque se tornan en carácter.
Desarrolle su carácter, porque el mismo se torna en destino.»

Saber popular

ALEGATO E INDAGACIÓN.
DOS HERRAMIENTAS CONVERSACIONALES QUE NOS ENSEÑAN CÓMO SUBIR Y BAJAR PRODUCTIVAMENTE POR LA ESCALERA DE INFERENCIAS

Alegato e indagación, dos términos que parecería hacen referencia a una situación de pleito jurídico donde se pretende mostrar la culpabilidad o inocencia de alguien, tienen aquí el sentido de un auténtico y respetuoso interés por conocer profundamente las formulaciones, ideas, propuestas del interlocutor (un «legítimo otro», diría Humberto Maturana), y de igual manera, presentar o exponer los propios puntos de vista con eficacia.

¿Cómo dar a conocer mi óptica o perspectiva?: *alegato*. ¿Cómo profundizar en la perspectiva de los otros?: *indagación*. ¿Para qué hacer esto? Para no quedarnos en improductivas y/o estériles discusiones que, además de postergar la toma de decisiones, terminan lesionando nuestra autoestima y obstaculizando una comunicación más abierta. ¿Cuántas veces deberíamos declararnos expertos en incompetencia por el modo en que presentamos nuestras ideas o propuestas? ¿Cuántas son las veces que escuchamos con legítimo interés las propuestas del otro, en vez de estar esperando nuestro turno para exponer y mostrar que nuestras ideas son mejores y/o que el otro está equivocado? ¿Cuántas son las veces que preguntamos no con auténtico interés, sino como una forma de prepararnos para golpear luego con más contundencia?

«En el mundo de los negocios, para obtener (y sostener) una ventaja competitiva, la organización necesita personal que pueda combinar su conocimiento técnico con el de los demás en forma sinérgica (...). Esta asociación se basa en procesos de comunicación efectiva. Y estos procesos se asientan en el arte de equilibrar en forma productiva el exponer y el indagar.» [10]

Si dos o más personas concuerdan en sus apreciaciones no hay ninguna dificultad, pero cuando las recomendaciones son dis-

10. Fred Kofman, *op. cit.*, pp. 100-101.

tintas –sigue diciendo Kofman– «es necesario investigar en sus posiciones. Estas recomendaciones son consecuencia de opiniones divergentes y esas divergencias son consecuencia de diferencias en la información, o en la interpretación de la información, o en los intereses y objetivos de cada uno».

Esta manera de concebir las cosas resulta válida no sólo para el mundo de los negocios y las organizaciones sino también para cualquier otro aspecto de nuestra vida personal. Es un modo de observar en el que a pesar de creer legítimamente que nuestra propuesta o recomendación es la más adecuada, nos abramos, también con humildad, a la posibilidad de estar haciendo inferencias equivocadas, a que aun con datos ciertos estemos errando en nuestro proceso de razonamiento o simplemente que haya habido aspectos que no fueron considerados.

Al respecto de lo dicho, vaya el siguiente relato como ejemplo:

Se trataba de un científico que entrenaba cucarachas para saltar en largo. Después de haberles enseñado y queriendo dejar testimonio de sus investigaciones, puso a una de ellas en el extremo de una pista pequeña de 10 cm de largo. A la orden de: ¡salta!, el noble insecto pega el salto y el científico verifica con filmaciones, fotos y notas que autentican sus hipótesis (el mito dice que hasta grabó el sonido del jadeo por el esfuerzo). En ese primer intento, anotó que la cucaracha saltó 3 cm. Acto seguido, y sin miramientos, le arrancó dos patitas, la puso en la línea de largada y dio la orden de saltar. El científico, con gran seriedad, registra nuevamente todo para aseverar sus dichos. «Cucaracha con 4 patas salta 2 cm.» Así se repite, hasta que con enorme frialdad, la deja sin patas. Nuevamente le ordena saltar, pero la cucaracha no responde. ¡Salta!, dicen que le repitió una y otra vez, y siempre con el mismo resultado: la cucaracha no se movía. Al fin, después de dejar todo debidamente registrado el científico anota: cucaracha sin patas... ¡queda sorda!

El sentido de esta ficción es poner en evidencia cómo a veces, no obstante tener los datos y hechos, llegamos a conclusiones erradas al equivocar nuestro proceso de razonamiento.

- *Alegar productivamente* es presentar o exponer nuestras opiniones o juicios, propuestas, ideas, subiendo peldaño a peldaño la escalera de inferencias, abriendo a la consideración de otros el proceso de razonamiento que nos llevó de X datos a X conclusiones.
- *Indagar productivamente* es no sólo informarnos adecuadamente de una exposición, sino también colaborar con aquél que hace su presentación, interesándonos auténticamente por sus opiniones y ayudándolo activa y honestamente a subir y/o bajar peldaño a peldaño a través de su proceso de razonamiento.

Veámoslo de modo concreto en las herramientas presentándolas en forma de guión:

Alegar productivamente (presentación de una opinión, idea, propuesta, proyecto, etc.)

1. Formular la opinión.
2. Exponer datos, observaciones, ejemplos.
3. Estándar y proceso de razonamiento.
4. Objetivo, preocupación, incumbencia.
5. Propuesta concreta de acción.
6. Chequear comprensión e indagar al interlocutor.

En el ítem 1 lo que hacemos es responsabilizarnos, apropiarnos de la opinión. Es un principio básico de humildad, en la que declaro que lo expresado no es «la» verdad sino «mi» verdad. Es «mi» perspectiva.

En 2 daré a conocer todos los elementos que constituyen el soporte en el que se basa mi opinión o conclusión.

En 3 expresaré cuál es el estándar desde el cual parto y el proceso de razonamiento que me lleva desde esos datos a las conclusiones.

4. Es el «para qué». Cuál es el interés particular, el objetivo, o en qué me incumbe lo que expongo.

5. Basado en lo anterior, sugeriré aquellas acciones que, a mi entender, nos aproximarán a los objetivos, punto 7, o a obtener los resultados deseados.

6. Verificar si la exposición ha sido suficientemente clara, e invitar al/los interlocutores a participar en forma activa mediante interrogantes tales como: ¿cuál es su opinión al respecto?; ¿tiene datos diferentes o quizá observaciones que no he considerado?; ¿hay algún error en mi proceso de razonamiento?, ¿consideran que hay otra acción/propuesta que resulte más efectiva?

Tanto el guión precedente, como el que detallaremos a continuación a los fines de la indagación, son guiones estandarizados. Cabe destacar que el orden de los factores no altera el producto. Cada persona tiene una particular forma de expresarse con la que se siente mas cómoda. En mi experiencia, algunos coacheados, respetando su estilo personal, prefieren comenzar por el punto 4 diciendo cuál es su objetivo, o desde el punto 2. A otros, les resulta mejor alterar el orden entre 5 y 6 o comenzar a exponer a partir de una propuesta de acción para luego fundamentar. Al margen del orden, sí es importante que los guiones observen todos estos items para ser productivos.

Indagar productivamente (informarnos de otra perspectiva y colaborar en su exposición)

1. Escuchar con auténtico interés y aceptar respetuosamente (aunque no acuerde).
2. Solicitar datos, observaciones, ejemplos, etc.
3. Preguntar por estándares y analizar el proceso de razonamiento.
4. Objetivos, deseos, etc.
5. Indagar propuestas.
6. Reflejo comprensivo y alegato productivo colaborador.

Podemos observar que esta herramienta es un «espejo» del alegato, con los mismos items a considerar; esta vez desde el punto de vista del que escucha, con un auténtico deseo de colaborar y aprender y no para competir y usar lo dicho para descalificar al otro. Recomendamos abstenerse de indagar si no estamos genuinamente interesados en la respuesta.

En 1, desde el principio elemental del respeto, se trata de practicar la escucha activa y respetar la opinión del otro –como un legítimo otro– aunque no acuerde con ella.

En 2, para el caso de que quien esté exponiendo no haya presentado datos o no resulten suficientemente claros, solicitarlos, así como los supuestos y la ilustración con casos concretos, a los que se apliquen las observaciones.

En 3, se trata de entender cómo nuestro interlocutor arriba a determinadas conclusiones a partir de los elementos anteriores. En otras palabras, chequear las inferencias.

En 4, intentaremos desde la indagación vincular lo antedicho con los objetivos y resultados esperados.

En 5 se trata de indagar en las sugerencias o propuestas que se derivan de su razonamiento; ver cómo afectarían esas acciones; cuáles serían sus consecuencias deseadas y no deseadas, etc.

El paso 6 es muy importante. *No es repetir textualmente lo que el interlocutor dijo sino chequear lo que hemos escuchado, expresando en palabras propias lo que interpretamos de los dichos del otro. No siempre «lo que escucho es lo que dices» ni «lo que digo es lo que escuchas».* (Recordemos el filtro de los modelos mentales). Entonces, lo que hacemos es chequear si nuestra comprensión es correcta o coherente con lo que hemos escuchado, resumiendo los dichos desde nuestra comprensión. Por ejemplo: «Querría ver si te entendí bien. De acuerdo con lo que dijiste... (*resumen comprensivo*) o, según te escuché, lo que tú dices es... (*resumen*)... ¿Es así?...». No sólo evidenciamos que hemos escuchado respetuosamente, sino que abre posibilidades de corrección y ampliación.

Una vez que hayamos acordado en la comprensión podremos, desde el alegato productivo, agregar elementos, señalar aspectos no considerados, mostrar desacuerdos y/o simplemente dar inicio a un diálogo productivo orientado al aprendizaje y la acción.

A porta da verdade estava aberta,
Mas só deixava passar
Meia pessoa de cada vez
Assim nao era possível atingir toda a verdade,
Porque a meia pessoa que entrava
Só trazia o perfil de meia verdade
E a segunda metade
Voltava igualmente como meio perfil
E os meios perfis nao coincidiam.
Arrebataram a porta, derrubaram a porta.
Chegaram a lugar luminoso
Onde a verdade esplendia seus fogos.
Era dividida em metades
Diferentes uma da outra.
Chegou-se a discutir qual a metade mais bela.
Nenhuma das duas era totalmente bela.
E carecia optar. Cada um optou conforme
Seu capricho, sua ilusao, sua miopia.

Verdade
Carlos Drummond de Andrade

Coaching y la escalera de inferencias. Pautas clave para la intervención del coach

Dijimos que el coaching es un proceso de aprendizaje. Es intelectual, corporal, emocional y también espiritual; pero fundamentalmente –aún con el uso de otras técnicas– es un procedimiento que se sostiene en el lenguaje.

En su carácter de detective, el coach, mediante las herramientas conversacionales, indagará profundamente, hasta en aquellas cosas que se presentan como obvias desde el punto de vista del coachee. Junto con él, buscará verificar peldaño a peldaño, la veracidad de sus inferencias, juicios y razonamientos.

Trabajando con las brechas (lo que puedo - lo que quiero) una pregunta elemental del coach es: ¿qué juicios tienes acerca de esta brecha? En otras palabras: ¿cuál es tu opinión acerca de este «problema»? ¿qué datos tienes para hacer esta afirmación? ¿En qué se fundamenta? ¿Cuál es tu preocupación o incumbencia? El coach indaga e invita al coacheado a indagar-se. El coaching es una permanente invitación. En este proceso es frecuente que suban y bajen por la escalera, explorando en las inferencias acerca de una situación. Allí descubrimos que nuestras opiniones, a partir de las cuales actuamos en el mundo, están muchas veces distorsionadas por creencias infundadas que fueron construidas en un «ascensor de inferencias».

La sesión de coaching puede ser también el momento en el que diseñamos o rediseñamos una conversación para la acción efectiva. A veces basta con revisar el modo en que el coachee alega o indaga, para que ocurran profundos *insights* en relación con el darse cuenta o considerar cómo es parte contribuyente en cada situación. Aprender a equilibrar estas herramientas ayuda a destrabar situaciones en las que sólo había confrontación. Construimos y diseñamos futuro. Puede ser ante una reunión, presentación de proyectos, continuar un diálogo o proceso que quedó trunco, postergado o que no fue satisfactorio. Se trata de ver cómo encarar temas y/o situaciones con efectividad transformando el conflicto en cooperación. Hacerlo no es garantía de éxito, pero genera contextos de confianza que, a su vez, posibilitan diálogos más abiertos y transparentes.

Compromisos y recompromisos conversacionales

Tanto en el mundo de los negocios como en la vida personal, de manera permanente coordinamos acciones a través de nuestras conversaciones.

Las conversaciones de *compromiso y recompromiso son actos lingüísticos*, así llamados porque lo que hacen es *generar un compromiso para la acción*. Los dividimos en:

- compromisos (*pedidos, ofertas y promesas*) y
- recompromisos (*reclamos y disculpas*).

Lo que aparenta ser un simple intercambio de pedido y promesa a menudo resulta atravesado por una serie de quiebres que provocan comunicaciones equívocas, desconfianza y confusión, dañando vínculos y haciendo perder efectividad.

A continuación trabajaremos estas consecuencias y el modo de mejorar la eficiencia y evitar aquellos quiebres. Finalmente exploraremos la relevancia que estas distinciones tienen a los efectos del coaching. Recordemos que *lenguaje es acción.*

La acción crea algo nuevo. Cuando decimos: «Pasemos la cita para la próxima semana», estamos creando algo, pues dicha propuesta afecta los planes y acciones de todos aquellos que están involucrados en el encuentro. Por ello sostenemos que el lenguaje es generativo, crea posibilidades antes inexistentes.

Con el lenguaje generamos y coordinamos acciones.

Compromisos conversacionales

Al hablar de coordinar acciones es necesario tener claro que ello es primordial para el logro de los objetivos de modo eficiente, y que su herramienta principal es el lenguaje. La coordinación de acciones nos permite proyectar nuestros intereses y planificar el futuro y, a través de un pedido, damos comienzo a una serie de movimientos de coordinación a la que llamamos «compromiso conversacional».

Estos *compromisos conversacionales* se estructuran en torno a *promesas, ofertas y pedidos,* los que implican compromisos tanto de quien habla como de quien escucha. Se trata de actos lingüísticos primordiales para coordinar acciones. Dicha coordinación y la comunicación efectiva son la esencia para la exitosa gestión empresarial y una adecuada relación en nuestra vida.

Promesas

La promesa es un acto lingüístico por el cual quien promete se compromete a realizar algo en el futuro, lo cual nos permite planificar de un modo más eficiente. Como la promesa lleva consigo una cara de restricción (pues si me comprometo, por ejemplo, a estar en una reunión a las 11:00 eso cierra la posibilidad de hacer otra cosa en ese momento) con frecuencia evitamos comprometernos, pues así parecería que podemos mantener una mayor libertad. Sin embargo, actuar de esa manera resulta insostenible, ya que la falta de compromiso provoca desconfianza, lo cual afectará tanto a la tarea como a las relaciones interpersonales.

Cada promesa involucra dos procesos diferentes: hacer la promesa y cumplirla. Hacerla no es una declaración sino una conversación en la que al menos dos hablantes llegan a una comprensión compartida. Ello ocurre por dos caminos principales; esto es, A ofrece una promesa que B acepta (A está comprometido), o A puede pedir una promesa que B acepta (B está comprometido). *Sin aceptación no hay compromiso.* Es importante señalar esto, ya que en muchas ocasiones existen quiebres como consecuencia de suponer de modo automático que determinados pedidos son suficientes para formalizar el compromiso por parte del otro sin tomar en cuenta su respuesta. Vale señalar también que para dar por cumplida una promesa se requiere una declaración de satisfacción por parte de quien la recibió. Si yo acepto su pedido de que le entregue un trabajo a las 15:00, mi promesa permanece abierta hasta que usted acuerde que yo he cumplido con las condiciones de satisfacción estipuladas en la promesa. Por ejemplo, yo podría entregarle el trabajo en el horario convenido, pero usted puede considerar que está incompleto, o desordenado en algo que considera importante; entonces, yo no he cumplido la promesa. En cambio, si el informe reúne las condiciones de satisfacción, declaramos que la promesa ha sido cumplida.

Interpretaciones equívocas sobre este punto dan lugar a muchos quiebres. La persona que hace la promesa carece de autoridad para declarar que ha sido completada; para ello es necesaria la declaración de satisfacción por parte de quien ha recibido la promesa.

Ofertas y pedidos

«Un pedido es una acción lingüística para obtener una promesa por parte de quien escucha. Para hacer promesas se necesita del consentimiento mutuo entre las partes y para ello podemos proceder a través de dos acciones diferentes: pedidos y ofertas. Ambas son acciones de apertura hacia la concreción de una promesa.»[11]

¿En qué difieren una de otra? Cuando se trata de un pedido, la acción pedida –en el caso de ser aceptada–, será ejecutada por el receptor oyente para satisfacer una inquietud del solicitante. Si la acción se iniciara con una oferta, la acción ofrecida –si es aceptada– se constituye en un compromiso del hablante/emisor, quien se hace cargo de una inquietud del receptor. «Las ofertas son promesas condicionales que dependen de la declaración de aceptación del oyente.»[12]

A continuación presentamos ciertas formas que podemos utilizar para analizar estas acciones lingüísticas. Las mismas se sostienen en la convicción de que la claridad comunicacional nos permite actuar más efectivamente. A saber:

- Yo te pido que tú hagas X en el tiempo Y.
- Yo te ofrezco hacer X en el tiempo Y.
- Yo te prometo hacer X en el tiempo Y.

Como base para analizar y ejemplificar los elementos que encontramos en los tres actos lingüísticos mencionados, utilizaremos el pedido.

Elementos más destacables de un pedido

- *Hablante*: *Yo* te pido que tú hagas X en el tiempo Y. Hay

---

11. Echeverría, *Ontología del lenguaje*, p. 93.
12. *Idem*, p. 94.

alguien responsable que hace el pedido y con poder para determinar si se han cumplido las condiciones de satisfacción. Si el hablante es indefinido, por ejemplo si una persona dice «se solicitó que reduzcamos las inversiones por 60 días», los empleados pueden preguntarse «¿quién lo solicitó?», «¿qué significa reducir?», etc.

• *Oyente/receptor*: Yo te pido que *tú* hagas X en el tiempo Y. El pedido está dirigido a alguien. Hay alguien que tiene que aceptar o declinar y hacer un compromiso (aunque después delegue la tarea en otra persona). Cuando falta el receptor no queda claro quién debe realizar las acciones; por ejemplo, se torna difícil encontrar claridad si yo digo: «alguien puede conseguir las sillas para la reunión». Allí no hay comprensión sobre quién se compromete a hacer qué cosa. Hasta que «alguien» adquiere entidad, hay sólo un pedido que no se ha cerrado con una promesa.

• *Condiciones de satisfacción (incluyendo el tiempo).* Yo te pido que tú hagas X *en el tiempo Y*. Si las condiciones de satisfacción están mal especificadas, o si son mal entendidas, en lugar de una acción efectiva habrá quiebres. Vale como ejemplo el caso real de una empresa productora de alimentos que solicita a su proveedor cinco toneladas de harina, a entregar a las 5 de la mañana, en la puerta del depósito. El pedido así formulado y el compromiso del receptor aparentemente correcto, generó serias dificultades al entregarse fraccionado en bolsas de 10 kg, cuando la necesidad era fraccionado en envases de 1 kg para ser distribuido a comercios minoristas. La responsabilidad de la imprecisión fue de ambas partes; el pedido no especificó claramente las condiciones de satisfacción y quien se comprometió tampoco las requirió. En este sentido se vuelve trascendente verificar con el receptor si su escucha del pedido es congruente con lo que como emisores quisimos comunicar. Las condiciones de satisfacción se refieren no sólo al tiempo sino al cómo; es decir, qué requisitos o condiciones debe reunir lo solicitado.

Una distinción sumamente importante es la que se establece entre un *pedido* y un *deseo*. Mientras el deseo expresa más una *aspiración*, el pedido expresará *condiciones de satisfacción observables*. Una cosa es decir «te solicito mayor dedicación» y otra es «te pido que respetes el horario de inicio de las reuniones». En la primera expreso un deseo, una aspiración, pero si no indico con claridad condiciones de satisfacción observables, el interlocutor podrá tener una idea diferente con respecto a qué es «mayor dedicación» y sus consecuentes acciones resultarán insatisfactorias. También podría quedar confundido preguntándose qué debería hacer para que el solicitante considere que se está dedicando mejor.

• *Mensaje*: es fundamental que el pedido sea expresado de modo tal que pueda ser recibido por quien deberá hacerse cargo de él y que, además, dé una respuesta. La promesa sólo alcanza validez como tal cuando el pedido ha sido escuchado y aceptado por quien promete. Son inagotables los ejemplos de quiebres que se producen como consecuencia de enviar correos electrónicos o dejar mensajes grabados, dando por sentado que el pedido ha sido efectivo. Para que el oyente responda es necesario que una solicitud u oferta sea efectivamente formalizada, la cual no estará concluida hasta que se cierre con un compromiso, en cualquiera de sus formas, como veremos más adelante.

• *Para qué/interés*: es importante destacar también que la escucha efectiva no consiste simplemente en comprender el pedido, sino comprender el trasfondo de intereses por debajo del pedido. No sólo el *qué, cómo, por qué, para quién*, sino también el *para qué*. Como expresa el dicho «en casa de herrero, cuchillo de palo», quien escribe estas líneas tampoco queda exento de cometer errores. Vale como ejemplo el siguiente: en cierta oportunidad le pedí a Mirta, mi asistente, que me preparara para las 8 am del día siguiente un informe con la temática desarrollada y evaluación de resultados de unas jornadas de capacitación gerencial que habíamos concluido. Le solicité, además, que lo escribiera en formato doble espacio. Ella, a quien considero muy eficaz y responsable, no sólo se quedó en la oficina después de horario, sino que pidió a su esposo que pasara a retirar a la hija por el colegio y terminó llevándose tarea a la casa para poder satisfacer mi pedido. A la mañana siguiente, tal como se había comprometido, me hizo entrega de su labor. Para mi asombro y preocupación, aunque el trabajo estaba impecable, hasta con gráficos en el informe, no me sentía satisfecho. ¿Qué había ocurrido? Me «había olvidado» de especificar que lo necesitaba para participar en un panel de expositores en un congreso, donde los panelistas sólo tendríamos 15 minutos de presentación inicial. El informe de Mirta consistía en más de veinte páginas, imposibles de presentar en tan poco tiempo. Asumí la parte de responsabilidad que me tocaba y el error se constituyó en una gran oportunidad de aprendizaje para ambos. Yo debía ser más claro en mis pedidos especificando el para qué y las condiciones de satisfacción y, ante un pedido, ella aprendió a indagar más por los requisitos.

Quien hace el pedido debe colocarse en el lugar de quien escucha, evaluando cuál es la información que necesita. Quien escucha/recibe un pedido también tiene la responsabilidad de indagar, solicitando las debidas aclaraciones.

A menudo se escuchan respuestas a un pedido que resultan inefectivas porque quedan abiertas a múltiples interpretaciones como, por ejemplo, «voy a ver», o «haremos lo posible», provocando una vaguedad que da margen a los malos entendidos. *Lo peor que puede pasar después de efectuado un pedido,* no es que me digan No, sino *no saber a qué atenerme.* Por ejemplo, si alguien da como respuesta «dejámelo pensar», ¿qué hago mientras tanto? Y si después me dice No, ¿no estaremos desaprovechando oportunidades y tiempo? («dejárselo pensar» es una posibilidad si establezco un compromiso dentro de un tiempo determinado y muchas veces es preferible, para que cuando cerremos un compromiso sea sobre bases verificadas de posibilidades de satisfacción.

Efectuado un pedido, se desprenden *cinco posibilidades de acción efectiva* por parte del receptor. A saber:

1. *Aceptar* el pedido o la oferta, creando una promesa (*sí*).
2. *Declinar* el pedido o la oferta, «prometiendo» en realidad *no* aceptarla, permitiendo de esta manera al hablante (quien pide) planificar futuro de otro modo. Muchas veces, por temor a ser considerado un incompetente, se evita la negativa, apostando a que ocurra un «milagro» que impida los quiebres por venir ante el incumplimiento. Decir «no» se vuelve entonces una respuesta válida, importante y, por cier-

to, muy comprometida. Recordemos que «hablar = actuar». Tanto el *sí* como el *no, abren posibilidades de acción*. Por ejemplo, ante una negativa, pedir a otra persona lo que necesito o –si tengo autoridad para ello– eximir a un colaborador de un compromiso previo para que dé prioridad a otra tarea.

3. *Pide aclaración*: es la oportunidad del oyente para interiorizarse más del pedido o la oferta. Por ejemplo, «¿para cuál reunión me solicitas el informe, la de las 9:00 o la de las 14:00? ¿Extenso o abreviado?».
   Es vital un contexto adecuado, ya que si la indagación fuera tomada como un desafío a la autoridad, el oyente no pedirá las aclaraciones necesarias, se guiará por intuiciones y el resultado seguro serían los errores.
4. *Se compromete a comprometerse*: el oyente puede responder con un compromiso de comprometerse, pero aclarando no estar en condiciones de hacerlo en ese momento. Hay compromiso a dar una respuesta en un futuro definido. Por ejemplo, podría ser «estaré en condiciones de contestarte antes de las 18». Buenas razones para ello son, por ejemplo, la necesidad de verificar los recursos, o realizar las consultas necesarias si hubiera que comprometer a otros con la respuesta dada. Este paso destaca el derecho del oyente a considerar la mejor respuesta, lo cual también es respetuoso hacia quien hace el pedido. Saltear este paso, ya sea por miedo a ser juzgado o castigado por el superior que hace el pedido, en ocasiones lleva a dar respuestas inmediatas a fin de evitar el conflicto. Es cuando decimos que «sí», aunque sabemos que «no», no pudiendo evitar luego los quiebres. Para evitar esta situación es vital comprobar los recursos y posibilidades con los que contamos, para honrar los compromisos y construir confianza.
5. *Renegociar* el pedido o la oferta: el oyente puede hacer una contraoferta; por ejemplo, «no tendré todo para las 15:00, ¿puede serle de utilidad que le anticipe una parte en ese

horario y le entregue el resto a las 18:00? En este caso, quien habla debe responder a las condiciones o la contraoferta de quien escucha, ya sea bajo la forma de aceptar la renegociación y finalizando con una promesa mutua, declinar la renegociación o estableciendo una negociación posterior donde, siguiendo el ejemplo, podría decir «no puedo esperar hasta las 18:00 ya que a esa hora tengo la reunión, pero sí hasta las 17:00».

Como podemos observar, a fin de cuentas las cinco respuestas posibles a un pedido se reducirán a dos: *sí* o *no*.

Entonces, con la obtención o no de una promesa finaliza la primera fase del compromiso conversacional. Ahora el oyente a quien le fue hecho el pedido o la oferta se mueve hacia su realización efectiva.

Aquí es donde los efectos de los primeros pasos toman dimensión, ya que los errores pueden volverse muy costosos, y en ocasiones es demasiado tarde para arreglar problemas que debieron ser corregidos antes.

Es una responsabilidad esencial generar contextos de aprendizaje y confianza para posibilitar compromisos conversacionales efectivos. Contextos de respeto y sin temor de declinar un pedido, indagar ante una duda o expresar desacuerdos o imposibilidades de satisfacer una demanda, sin que los mismos sean interpretados como descalificación, desafíos a la autoridad o declaraciones de incompetencia hacia la persona que los manifiesta. De hecho, la imposibilidad de negarse a un pedido podría ser contraproducente en cuanto a los resultados, o entrar en conflicto con otros pedidos más prioritarios.

Claro está que, por el lado de quien tiene autoridad, permitir declinar o contraofertar no es simplemente dejar que los demás digan «no» y así quede la conversación. La herramienta clave aquí es la *indagación en la naturaleza del problema*, preguntando razones y quizá ofreciendo maneras de superar los inconvenientes para la acción efectiva, pudiendo arribar a un pedido y plan de acción con sentido para ambos.

Recompromisos conversacionales

Efectuado un pedido, y cerrándose éste con un compromiso de la otra parte involucrada en la conversación, decimos que queda afirmado un compromiso conversacional y, también, un compromiso de acción.

Hay un sujeto A que se ha comprometido con otro B a llevar a cabo una determinada acción dentro de determinado tiempo y con ciertas condiciones de satisfacción. Si este compromiso es satisfecho en tiempo y forma, decimos que se ha cumplido la promesa.

¿Qué acontece cuando no es satisfecho este compromiso? Generalmente se producen quiebres en las relaciones interpersonales que a su vez provocan malestar en lo personal, lo que inevitablemente se verá reflejado en los resultados.

Recordemos que estas dos partes involucradas en el compromiso forman parte de un sistema y que el incumplimiento de una de las partes afectará no solamente a ellos, sino muy probablemente a la estructura en general. Las quejas, los lamentos, las difamaciones, las culpas, las calumnias y los quiebres de tarea, resultan ser las consecuencias más comunes ante estas situaciones.

Los *recompromisos conversacionales,* también llamados conversaciones de recompromiso,[13] son aquellas conversaciones que ocurrirán cuando un compromiso previo no ha sido o no podrá ser honrado. Permiten focalizar el quiebre y rediseñar acciones conducentes a reparar la relación afectada y a generar un nuevo proceso de acción a fin de conseguir el resultado deseado.

Una vez que alguien hace un pedido y recibe una promesa, existen *cuatro posibilidades de acción*:

1. *Cumplir la promesa.* Ambas partes se sentirán satisfechas.
2. *Cancelar el pedido.* Muchas veces sucede que hacemos un pedido con cierta urgencia y a pesar de que la urgencia y/o la necesidad perdieron vigencia, no avisamos a quien se ha com-

13. Kofman, *op. cit.*, p. 257.

prometido con nosotros. Generalmente esto produce resentimiento y da lugar a la desconfianza ante próximos pedidos.

3. *Reclamo efectivo.*
4. *Disculpa efectiva.*

Reclamo efectivo

Implica una conversación honorable y a la vez rigurosa en los pasos a considerar en su procedimiento, dirigida a la persona que corresponde y circunscripta al tema que generó el quiebre. Se basa en lo pasado pero con vistas a un futuro. En vez de quedarnos en el lamento, esta conversación abre posibilidades de acción. Muchas veces la evitamos para no mostrarnos como quejosos, otras para no avergonzar al otro, o por evitar el enfrentamiento o por estar muy escépticos con respecto a la posibilidad de un cambio. Lo único que estas explicaciones generarán en el mediano plazo, es reforzar la incomodidad y poner de evidencia la incompetencia de nuestro accionar.

Pasos de un reclamo efectivo

a. *Generar contexto para una conversación.*
   El objetivo es generar acciones efectivas, no avergonzar ni descalificar.
b. *Afirmar y corroborar el compromiso previo.*
   «Habíamos quedado en que la reunión comenzaba a las 9:00 y te comprometiste a estar presente.»
c. *Aseverar y verificar el quiebre.*
   «Siendo las 9:30 aún no habías llegado.»
d. *Indagar en los motivos o razones del quiebre* (si bien estamos llenos de explicaciones tranquilizadoras, también es cierto que puede haber razones atendibles).
   «¿Qué te pasó? ¿qué provocó tu demora?»
e. *Reportar daños en tres aspectos*:
   - *En lo personal*: «Me siento...» (Hablar de uno, no hacer juicios sobre el otro.)
   - *En lo interpersonal*: «Esto afecta...»

- *En la tarea*: «Tuvimos que tratar uno de los puntos del temario sin conocer tu opinión resolviendo postergar la decisión a tomar hasta mañana.»

f. *Acordar nuevo compromiso*:
«Te solicito que avises con anticipación si te demorarás o ausentarás.»

Aclaración: éste es un «guión» estándar. Al igual que con otros guiones sugerimos –sin dejar de observar los pasos propuestos–, que cada persona lo adapte a su modo coloquial personal.

Disculpas efectivas

También ésta es una manera honorable de presentar nuestra imposibilidad de cumplir un compromiso, sin que ello implique una pérdida de la autoestima. La disculpa efectiva resulta más eficaz si la podemos presentar con anticipación al incumplimiento, ya que esto –además de ser respetuoso– posibilitará que la otra persona pueda rediseñar sus acciones. Si esto no fuera posible, pedir una disculpa efectiva –aunque sea a posteriori– resultará igualmente importante.

Esta conversación también abre posibilidades de acción. Expresar arrepentimiento es sólo una parte de la disculpa. De lo que se trata es de reparar el quiebre y rediseñar acciones.

Pasos de una disculpa efectiva

1. *Generar contexto para la conversación.*
2. *Afirmar y ratificar el compromiso previo*:
   «Nuestra reunión daba comienzo a las 9.00 y yo me comprometí a estar presente»
3. *Afirmar y reconocer el quiebre*:
   «Reconozco y asumo la responsabilidad de no haber llegado a tiempo.»
4. *Presentar motivos o razones del incumplimiento.*
5. *Indagar en la opinión del otro y pedir un reporte de daños*:

«Me imagino que mi accionar generó algunas consecuencias y me gustaría saber cómo te ha afectado.»

6. *Ofrecer disculpa, reparación y nuevo compromiso*: «Lamento lo ocurrido, me comprometo a no repetir y me gustaría saber si hay algo que esté a mi alcance para facilitar la tarea que habíamos previsto o reparar el daño ocasionado.»

No existen organizaciones (me animaría a decir: ni redes de relaciones) sin quiebres. Ocurren. Estas herramientas son oportunidades de aprendizaje que abren y facilitan posibilidades de acción efectiva, achicando el margen posible para los quiebres, a la vez que fundan relaciones más sólidas y confiables, posibilitando un accionar efectivo que nos acerque a los resultados con menor sufrimiento.

Coaching, compromisos y recompromisos

Cambiar la duda por pregunta.
Cambiar la protesta por propuesta.
Cambiar el reproche por reclamo.

(Dichos del saber popular)

En el entramado de las redes de relaciones que establecemos en nuestra vida personal y organizacional, lo que ocurre en general son conversaciones en las que dos o más personas se involucran. En este relacionamiento, se producen construcciones «sanas» y otras que lamentablemente se quiebran. Aislamiento, resignación, desmotivación, ruptura, son algunas de las respuestas frecuentes ante situaciones por no saber comprometer o recomprometer. El coaching se torna relevante también ante consultas que en esencia tienen que ver con conversaciones para la coordinación de acciones. Veamos muy abreviadamente un ejemplo:

Coach: ¿cómo estás?

Juan: Aquí me ves, abrumado de tarea.

C: ¿Qué querrías?

J: Que se pongan de acuerdo y no me pasaran tantos temas juntos.

C: ¿Por qué crees que pasa esto?

J: Porque los demás son unos desconsiderados.

Etc., etc., etc.

En otro apartado retomaremos en forma completa este ejemplo. Pero veamos hasta aquí qué ocurría: Juan estaba emocionalmente quebrado, abrumado de tarea, con juicios acerca de los demás a quienes responsabilizaba de sus «desgracias».

La sesión de coaching se fue orientando y focalizó finalmente en dos aspectos: 1) asumir responsabilidad con sus opiniones y frente a la situación que lo aquejaba, transformando el «desconsiderados» en «no sé cómo hacer para...» y 2) diseñar conversaciones en las que pudiera mantener diálogos, procesando su columna izquierda, haciendo pedidos efectivos, reclamos efectivos, y coordinando acciones futuras.

El proceso de coaching es también una posibilidad para revisar y reconsiderar cómo operar efectivamente, tanto al hacer pedidos y promesas como al hacer reclamos u ofrecer nuestras disculpas cuando el compromiso no fue o no podrá ser honrado por nosotros o por el otro.

Retroalimentación integrativa: feedback

«Sincericidio» es una palabra que fue acuñada entre mis pacientes y alumnos. Con ella querían expresar esa «rara mezcla de sinceridad con suicidio u homicidio» cuando, al sostener una conversación o comunicación, damos (o recibimos) el parecer que tenemos (o que el otro tiene) respecto a la persona, o a alguna expectativa o acción esperada. Las palabras, los dichos, pueden tener el enorme poder de dañar o sanar. Así, podemos tener una comunicación responsable o irresponsable. ¿Quién elegiré «ser»? ¿Cuál será mi intención: dañar al otro, llenarlo de culpa, o aprender? Al igual que las anteriores, ésta es una herramienta para el aprendizaje, no para la manipulación. Está centrada en el usuario de la misma y en coherencia con los valores que decimos sustentar. Se trata de aprender a manejar el poder de la palabra para –con humildad y respeto– expandir capacidad de acción efectiva. En otras palabras, dar *feedback* para diseñar futuro e interrelaciones más sinceras, abiertas y productivas.

En mi opinión, la retroalimentación integrativa es una de las herramientas más poderosas y comprehensivas porque, como su nombre lo indica, integra prácticamente todas las herramientas anteriormente descriptas, sumándole además la *emocionalidad*.

Es *retroalimentación*, porque se trata de una comunicación bidireccional en la que los involucrados se ven mutuamente enriquecidos y valorizados. Basado en la teoría general de los sistemas, significa procesar información y transmitirla al sistema para la continuidad de su funcionamiento. También es *multidireccional*, porque seguramente sus consecuencias involucrarán sistémicamente a otros. *Integrativa*, porque en su aplicación combina múltiples herramientas: generación de contexto, observación, escucha activa, alegato e indagación, distinción entre hechos y opiniones, pedidos y promesas, y agrega, como dijimos, la emoción.

Presentaremos la retroalimentación integrativa en forma de guión, con la habitual advertencia para el usuario de respetar-se el modo coloquial personal y la aclaración de que el orden de los factores no altera el producto. Sí es importante observar rigurosamente todos los items o pasos.

1. *Generación de contexto para la conversación.*
2. *Datos, observaciones*:
   «Cuando yo te observo hacer...» o «cuando tú haces...»
   «Cuando yo te escucho decir...» o «cuando tú dijiste...»
3. *Interpretación, juicios*:
   «Tengo el siguiente juicio...» o «en mi opinión...»
4. *Emoción*:
   «ante lo cual siento...» (alegría, miedo, tristeza, enojo, etc.)
5. *Incumbencia, interés, aspiraciones*:
   «me importa/preocupa/interesa/incumbe...» (por qué y para qué)

6. *Pedido efectivo*:
   «por ello te pido...» o «mi pedido es...»
7. *Indagación*:
   «querría saber qué pensás acerca de esto» o «cuál es tu opinión»
8. *Compromiso. Diseño de acciones futuras.*

1. *La generación de contexto* tiene dos aspectos:
   • en lo personal y
   • en lo interpersonal.

En lo personal nos ocupamos de «caldearnos» para la acción, respirando y relajándonos. Chequear también la propia emocionalidad, recordando que «la buena conversación con un estado de ánimo inadecuado, se transforma en una mala conversación». Esto también tendrá que ver con cuál es el objetivo de la conversación que abriremos, para obrar consecuentemente con nuestros valores (maltratar-victimizar o reparar-aprender). Por ello es importante focalizar no solo en el porqué, sino en el para qué de la conversación.

En lo interpersonal registramos si las circunstancias de tiempo y lugar conforman un contexto adecuado que contribuyan a la intimidad del diálogo. Si no se reunieran las condiciones de satisfacción con respecto al lugar (por ejemplo, estar rodeados por otras personas), tiempo (por ejemplo, estar restringidos por otra cita ya agendada) o estado de ánimo (por ejemplo, estar preocupados por otra circunstancia), sería preferible postergar ese encuentro agendando otra fecha. Sugerimos abrir la conversación haciendo explícito su propósito (por ejemplo: «quería compartir contigo algunas opiniones que tengo acerca de... la tarea, o nuestra relación, o cómo veo tu trabajo», etc.)

2. *Presentación de datos, observaciones.* Exponer aquellos hechos u observaciones fácticas en las cuales fundamos la opinión. No dar –aún– la opinión, ni hacer juicios acerca del otro (del tipo «tú eres...»); referirse a las acciones concretas, sin generalizar (por ejemplo, «usted siempre...» o, «no hay vez en que...»)

ni hablar en nombre de terceros ausentes (por ejemplo, «todos opinan...»). Tampoco habremos de adjudicarle al otro motivos o intenciones, ya que sólo serían interpretaciones –quizás distorsionadas– desde el observador que somos.

3. *Interpretación, juicios*. Realizar juicios productivos. Hablar en primera persona del singular («en mi opinión...», «tengo la siguiente opinón...»). Se trata de apropiarse de la subjetividad del juicio.

4. *Emoción*. Incluimos la expresión de nuestro estado interior, nuestro estado emocional, ante la situación y/o los hechos («ante esto..., ante lo cual..., siento o me siento...»). Es importante anticiparnos en este momento para hacer un par de advertencias; a saber: a) no acusar al otro de ser el culpable de mi emoción («me haces...–por ejemplo–, enojar»), porque en ese caso le atribuiríamos una intencionalidad y/o podríamos equivocarnos en nuestro juicio acerca de su motivación. La emocionalidad es la respuesta personal y particular de cómo me han afectado los hechos o la situación («ante estos hechos, yo siento...»); b) no confundir emoción con opinión. Es muy frecuente decir «yo siento» cuando en realidad es «yo pienso». Disfrazamos como emoción lo que es en realidad un pensamiento o un juicio. Ejemplo, «*siento* que no me tienes confianza» en vez de expresar «*me duele* pensar que no me tienes confianza». Los juicios u opiniones son evaluaciones subjetivas, por lo tanto, discutibles. Las emociones son indiscutibles. (Para una exposición más profunda acerca de este tema ver el capítulo sobre emociones e inteligencia emocional.)

5. *Incumbencia*. Explicitar por qué me importa/interesa. En qué o cómo me incumbe. Expresar aspiraciones y/o el para qué de este diálogo

6. *Pedido efectivo*. A diferencia del paso anterior se trata aquí de hacer un pedido concreto. La diferencia está en que la aspiración es la expresión de un deseo, muchas veces abstracto. Por ejemplo, «desearía un mayor compromiso». El pedido, en cambio, hace referencia a cosas concretas, a condiciones de satisfacción observables tales como «qué acciones concretas evidenciarían y avalarían mi opinión acerca de un mayor compromiso».

7. *Indagación*. Basándonos en los valores de respeto y humildad, entendemos que lo antedicho no es *la* verdad. Es *mi* verdad. Es la verdad desde el observador que cada uno es. Podría haber factores que desconocíamos, quizás algún error en nuestro proceso de razonamiento, etc. Por lo tanto, éste es el momento de invitar al otro a expresar sus puntos de vista. No a que haga su descargo como un acusado, sino interesándonos auténticamente por su parecer y practicando la escucha efectiva.

8. *Compromiso*. El objetivo de esta herramienta apunta al futuro y al aprendizaje; no es la catarsis, la amenaza ni el consejo. Una vez realizado el chequeo de comprensión entre los participantes de esta conversación, el objetivo central de este paso es acordar compromisos que posibiliten a los interlocutores corregir y expandir su capacidad de acción efectiva.

Coaching y la retroalimentacion integrativa. Pautas para la intervención del coach

De acuerdo con mi experiencia, el *feedback*, aunque muchas veces esperado y solicitado –es más, creo que es un requisito indispensable cuando trabajamos o desarrollamos acciones con otros– es, asimismo, un término que provoca cierto temor. Si bien es imprescindible para el crecimiento personal, suele tener una connotación negativa, limitándola a lo que sería una evaluación de desempeño. Cabe destacar que *la práctica de esta herramienta está más que indicada para lo que llamamos «feedback positivo»*; es decir, para el elogio, la expresión de satisfacción, el aprecio, la gratitud, etc. *No está reservada sólo a situaciones de confrontación o insatisfacción*. En mi experiencia organizacional, uno de los reclamos más frecuentes que escucho de mis coachees en las sesiones de coaching, es por la falta de reconocimiento hacia ellos por parte de sus jefes, gerentes o de la empresa en general. También en el ámbito personal es frecuente (por ejemplo, un hijo triste y enojado porque ante sus buenas calificaciones escolares, sus padres no lo reconocen al expresarle que «sólo hizo lo que tenía que hacer»).

Dar y recibir *feedback* –si bien a veces es una conversación difícil–, se constituye en una poderosa oportunidad. No para que uno ejerza el poder victimizando a otro, sino para compartir percepciones, ampliar la concientización y enriquecer el desempeño y la interacción.

Lo antedicho es también válido para la interacción coach-coachee. El coach no es juez, ni el coachee es un acusado. Coaching es un proceso dinámico e interactivo para asistir a otros en el logro de sus metas, expandiendo su potencial. En esta interacción, el *feedback* se constituye en poderosa herramienta para compartir información, como oportunidad para el cambio de conductas o acciones inefectivas, y también para reforzar los logros y desarrollos alcanzados.

Creo que sería adecuado hablar de *feedback*, y también de *feedforward*. Su objetivo consistiría en una devolución, pero mirando adelante; es decir, con vistas a diseñar futuro.

Capítulo V

Proceso del coaching. Teoría y técnica de la práctica

«La mente no debe llenarse cual recipiente,
sino encenderse como fuego.»

Plutarco

Llegamos a este punto con el conocimiento de aquellos fundamentos teóricos y desarrollos conceptuales acerca de herramientas conversacionales, esenciales para la técnica y práctica del coaching.

Recordemos, a modo de introducción, que coaching es un proceso de aprendizaje a través del cual transformamos el tipo de observador que somos. Aprendizaje, en tanto se procura una expansión de la capacidad de acción efectiva. Mas no sólo eso. Sabemos ya que toda acción resulta del tipo de observador que cada uno es. Observador es la forma particular en que un individuo otorga sentido a la situación que enfrenta, antes de intervenir en ella. En consecuencia, al transformar el observador, construimos nuevos y diferentes sentidos, que transformarán también nuestras acciones.

De allí, el concepto de transformación personal y el carácter ontológico del coaching.

Coaching: teoría de la técnica

Orientaciones previas

Los siguientes son prerrequisitos fundantes, que junto con los arriba mencionados y sumados a una ética personal e impecable responsabilidad profesional, se tornan necesarios para sostener el éxito en la práctica del coaching. Sin ellos, su logro se vería seriamente comprometido.

- Escucha activa y reflexiva.
- Intuición.
- Respeto hacia el otro como un legítimo otro.
- Centrarse en el cambio ontológico, no en intereses propios.
- No dar consejos (aunque en algunas oportunidades se plantean excepciones).
- No decirle al coacheado qué hacer, ni mucho menos cómo debe ser o actuar.
- Eliminar el «tienes que...», «deberías...», «lo correcto sería ...».
- Validar la opinión del coacheado –aunque no acuerde– y ayudarlo a rearticular su creencia.
- No presionar. No formular interpretaciones psicoanalíticas.
- Empatía.
- Maestría en la formulación de preguntas.

Escucha activa y reflexiva

Una disposición básica del coach es la apertura hacia el otro y, en este sentido, una de las competencias imprescindibles consiste en aprender y saber escuchar. Apertura y escucha activa se constituyen en requisitos sin los cuales prácticamente se torna imposible practicar coaching.

Algunas consideraciones estratégicas a tener en cuenta son:

a. Posición corporal y contacto visual

La indicación es ubicarse en una posición frente a frente, mirada con mirada, atento al otro y no al exterior de la ventana, al piso, a lo que escribimos, a un objeto o a cualquier otra cosa. Es como decirle sin palabras, desde el lenguaje de nuestro cuerpo: «estoy aquí y ahora, totalmente presente». No cruzarse de brazos, ya que además de interrumpir un circuito energético corporal estaría expresando un cerrarse o protegerse ante el interlocutor.*

b. No interrumpir ni completar el discurso del interlocutor

Escuchar activamente implica una legítima intención de comprensión de la estructura de coherencia del coacheado. Una tendencia frecuente al interactuar con otros es interrumpir para dar a conocer nuestro parecer; a veces defensivamente –por no tolerar los silencios que se producen ante la actitud reflexiva del otro, mientras ordena mentalmente sus ideas– nos anticipamos intentando completar lo que ha comenzado a decir. Al operar de este modo, muchas veces hacemos una interpretación equivocada o provocamos la interrupción del fluir espontáneo del interlocutor, quien podría interpretarlo como impaciencia, o sentirse no respetado. Una manera de acompañar la escucha es con gestos corporales de asentimiento (mover la cabeza) o mediante expresiones que denoten que acompañamos su exposición («¡aha!...», «entiendo...»). Si el coach tuviera alguna reflexión o pregunta que teme olvidar, es mejor dejarla escrita y luego incluirla o pedir disculpas por la interrupción y solicitar permiso para indagar («discúlpame... ¿puedo hacerte ahora una pregunta?...»).

c. Chequeo de comprensión

El coach resume con sus propias palabras lo que ha escuchado y comprendido. Es útil para evidenciarle al interlocutor que hemos estado atentos a lo que ha dicho y para verificar o rectificar la comprensión de su perspectiva. No siempre lo que se dice es lo que se escucha. Vale destacar que no es recomendable hacerlo con cada intervención del coacheado ya que esto provocaría un enorme desgaste, descaldeamiento, incomodidad y, además, prolonga-

* Para mayor profundización ver capítulo sobre corporalidad.

ría cada sesión hasta el hartazgo. Sugerimos usar este recurso para aquellas circunstancias o dichos que consideremos relevantes.

d. Reflexión en la acción

Practicar una escucha activa implica asimismo reconocer que nuestra columna izquierda también está activa. Entre los muchos pensamientos que aparecen, nos surgirán reflexiones tales como: «¿qué es lo que no estoy comprendiendo?», «¿cómo responder a la inquietud de este momento?», «¿qué dije o qué hice que motivó en el coacheado esa respuesta?». El coacheado es una persona que ha depositado su confianza en el coach y éste debe evaluar y reflexionar permanentemente acerca de su práctica. También para el coach es posible rediseñar acciones, razón por la cual se torna relevante esta reflexión durante el coaching, así como entre una y otra intervención.

LA INTUICIÓN

Es un tema vinculado con la escucha que requiere una particular atención. Hablamos del coaching como procedimiento, proceso, arte, con sólidos fundamentos teóricos y una rigurosa disciplina. Sin embargo, durante el desarrollo de la conversación ocurre que, más allá de nuestra percepción consciente, solemos tener sensaciones corporales, emociones que nos atraviesan, pensamientos varios, que son sumamente interesantes para producir hipótesis.*

Freud hablaba de la «atención flotante», refiriéndose al particular modo de escuchar del analista, así como de la transferencia y contratransferencia, en relación con los pensamientos y sentimientos en el vínculo terapeuta-analista. Nuestra experiencia vital va dejando huellas de conocimiento; el hecho de no tenerlas plenamente conscientes no significa que no existan. Es algo así como un

* Ver Carta abierta a las nuevas generaciones.

reservorio de experiencias donde almacenamos memoria y conocimiento. En el curso de la interacción estas huellas aparecen posibilitando –si sabemos aprovecharlas– percepciones. Esto que muchas veces no sabemos explicar es lo que comúnmente definimos como *conocimiento intuitivo*. Ello ocurre cuando creemos saber algo sin saber por qué lo sabemos ni de dónde proviene ese conocimiento.

Una primera consideración a tener en cuenta, que se relaciona también con el procedimiento de reflexión en la acción, es *discriminar* si esa percepción no tiene que ver más con cosas del coach que del coacheado. En otras palabras, si las resonancias de lo que escuchamos no estarán más relacionadas con preocupaciones propias que con las del coacheado. La segunda consideración y no menos importante, es *chequear o corroborar* nuestro conocimiento intuitivo. Narcicísticamente podría halagarnos el comentario de nuestro fascinado coacheado al decirnos: «¿cómo supiste?», «¿cómo te diste cuenta? ¿eres brujo?», pero también corremos el enorme riesgo de equivocarnos, generando desconfianza y conductas defensivas en nuestro interlocutor, derivando el proceso hacia cursos laterales que nos alejen del foco en cuestión, perdiendo tiempo, etc.

Sin embargo, lo más significativo es que operar abusando de la intuición y no corroborar la hipótesis, desvirtuaría al coaching, transformándolo en una suerte de magia o adivinanza, carente de fundamentación.

La condición esencial para chequear es la humildad: «tuve la siguiente idea... tiene sentido para usted (ti)?» «¿Podría ser que...?» «Tengo una sensación en... ante la cual pienso... ¿qué piensa o siente acerca de esto? Los puntos suspensivos hacen referencia a propias sensaciones corporales, a emociones que el coach va percibiendo en sí mismo, a imágenes, etc. En este contexto, la humildad significa cuidarme (y cuidar) de no transformar mi conocimiento intuitivo en un hecho. No es una verdad. Es una intuición a partir de la cual elaboro una hipótesis, que sólo tras ser corroborada por el coacheado, será incluida en el contexto del proceso conversacional.

RESPETO

Somos como actuamos y actuamos como somos. En ese sentido también escuchamos como somos y hablamos desde el ser que somos. Es importante tener claridad en este aspecto desde la escucha y el ser del coach, para respetar al otro en su legitimidad de ser un otro diferente a nosotros; es un observador diferente con diferentes experiencias vitales, biológicas, psicológicas, culturales, etc. No entenderlo así implicaría transformar el respeto en desprecio. El coach no sabe mejor que el otro qué le conviene; eso sería descalificarlo y no ayudarlo a asumir responsabilidad. La práctica de coaching no consiste en decirle al otro qué hacer, ni mucho menos cómo debe ser o actuar. No se trata de dar consejos ni dar explicaciones sobre cosas que «el coacheado no entiende». No existe para el coaching tal cosa como «tiene que...; deberías...; lo correcto es...». «Correcto» es lo que tenga sentido para el coacheado.

En nuestra accionar cotidiano es frecuente la tendencia a tener respuestas para resolver la vida del otro; tenemos el consejo para el otro, cuando en las mismas circunstancias no sabemos qué hacer con nuestra propia vida. Me gusta la frase de Echeverría: «No se hace coaching desde la perfección; se hace coaching desde nuestras heridas. Es porque somos profundamente imperfectos que nos es posible entender y trabajar con la imperfección. Nuestras heridas son uno de nuestros más preciados activos cuando se trata de hacer coaching.»[1] Sólo desde ahí podrá el coach compartir sus propias experiencias de vida.

Vivo en una casa con un jardín lleno de plantas. No sólo las cuido con dedicación, sino que con el devenir del tiempo me transformé en un discípulo, aprendiente de sus enseñanzas. Cierta vez estaba intentando guiar las ramas de una glicina y queriendo dirigirla hacia un lado, presioné y se quebró. El dolor que sentí fue,

1. Rafael Echeverría y Alicia Pizarro, *op. cit.*

además, de un enorme aprendizaje. Pensé en las analogías con un coaching o una terapia y en mi rol en ambas. Si el coach fuerza un cambio, movido por intereses personales, puede provocar no un crecimiento y desarrollo, sino un quiebre.

En este sentido, una última reflexión es que el coach deberá también ser un permanente observador de sí mismo para no presionar, transformando el coaching en un análisis hostil. Su función es servir, facilitando experiencias de aprendizaje, centrándose en el cambio ontológico y no en intereses propios. Operar siempre desde la ética del respeto.

Empatía

Un encuentro de dos: ojo a ojo, cara a cara
Y cuando estés cerca, tomaré tus ojos
y los pondré en lugar de los míos,
y tú tomarás mis ojos,
y los pondrás en lugar de los tuyos.
Y luego te miraré con tus ojos,
y tú me mirarás con los míos.

Jacobo L. Moreno

Es una competencia clave para el rol de coach. Comúnmente lo expresamos diciendo «ponerse en los zapatos del otro». Asociarse empáticamente con el otro es poder ponerse en su lugar de observador para tener una mejor comprensión de su experiencia y de sus puntos de vista. Es común la tentación errónea de decir «yo en tu lugar hubiese hecho...». En realidad, yo en tu lugar (desde tu modelo mental, desde el observador que tú eres) hubiese hecho lo mismo. Sería más apropiado decir: «yo en mi lugar (desde mis modelos)...». Acceder a una comprensión de su modelo no significa acordar con el mismo. Empatía es tratar de comprender, desde el sistema de creencias del interlocutor, la lógica de su respuesta frente a las circunstancias.

Empatía no es justificar; es validar su opinión o su emoción, ayudando luego a procesar y re-articular su creencia.

Irvin Yalom[2] habla de «mirar por la ventana del otro» y al respecto cuenta el siguiente relato:

> *«En su adolescencia, una mujer había estado enfrascada en una lucha larga y amarga con un padre duro y negativo. Deseando alguna forma de reconciliación, esperaba con ansia el momento en que su padre la llevara en auto hasta el colegio, momento en el que estarían a solas durante horas y poder, así, dar un nuevo comienzo a su relación. Pero el viaje tan esperado resultaba un desastre: su padre se comportaba fiel a su modo de ser y se pasaba todo el tiempo refunfuñando sobre el arroyo feo y lleno de basura que había al costado del camino. A su vez, ella no veía basura alguna en el hermoso arroyo rústico y virgen. Y, como no encontraba modo de responderle, al final terminaba por callar y pasaron el resto del viaje sin mirarse, cada uno con los ojos vueltos para su lado. Más adelante, ella hizo ese viaje sola y se sorprendió al notar que había dos arroyos, uno a cada lado del camino. 'Esta vez yo conducía –dijo con tristeza– y el arroyo que veía por mi ventana del lado del conductor era tan feo y estaba tan contaminado como lo había descripto mi padre.' Pero para cuando aprendió a mirar por la ventana de su padre ya era demasiado tarde: su padre estaba muerto.»*

MAESTRÍA EN EL PREGUNTAR

Tan importante como el requisito de aprender a escuchar, es el de saber preguntar. Ambas competencias están vinculadas en-

2. *El don de la terapia*, Emecé, Buenos Aires, 2002, p. 37.

tre sí. Escuchar activamente orientará nuestra indagación, y las posibles respuestas que se abran requerirán de nuestra más atenta escucha. Se constituye entre ambas una especie de circuito espiralado que a veces nos conducirá hacia las profundidades del ser; entonces se denomina *descendente*. En otras oportunidades nos elevará con la emoción exultante por los hallazgos obtenidos; en tal caso se llama *ascendente*.

El coach indaga no sólo para obtener información; también indaga para poner a prueba hipótesis y muchas otras como una forma de «prestarle» preguntas al coacheado que éste no se hace. Sabedores de mi estilo de indagación, es frecuente que ante un momento de confusión mis coachees me digan: «préstame una pregunta». El coach tiene competencias para hacer distinciones que el coachee no tiene, y de esa manera lo ayuda para abrirse a nuevas comprensiones y significados. En ese devenir, el coacheado «se» escucha asombrándose y descubriendo-se muchas veces, no sólo de los dichos del coach, sino de los de su propio discurso. Para ello es muy útil formular preguntas abiertas que le posibiliten explayarse, en vez de las cerradas que concluyen con un sí o un no. La maestría del preguntar puede generar condiciones absolutamente reveladoras.

Entre las sugerencias de este apartado destacamos la importancia de equilibrar alegato e indagación a fin de no exasperar al coachee con inagotables preguntas. Eso descaldea, agota y podría trivializar la conversación y generar ansiedad, inquietud o desconfianza en el interlocutor. Otras consideraciones son no saltar con preguntas de un tema a otro como mono de rama en rama. Se trata de seguir una línea de indagación, hasta percibir que podemos pasar asociativamente a otro tema. Tampoco se trata de hacer preguntas capciosas ni de disfrazar afirmaciones bajo la forma de preguntas (por ejemplo, ¿no te parece que podrías...?). Eso es manipulación, y no legítimo interés en el indagar. El coach pregunta para escuchar y servir al otro.

Las cuatro etapas y los siete pasos del proceso de coaching

En la intervención no siempre es tan clara esta distinción entre diferentes pasos y distintas etapas. *La hacemos aquí a efectos didácticos* pero en la práctica hay momentos re-elaborativos en las que se fusionan.

Las cuatro etapas se corresponden con los siete pasos del proceso.* Ellas son:

Etapa I:	Introducción/apertura: paso 1.
Etapa II:	Exploración, comprensión e interpretación: pasos 2, 3 y 4.
Etapa III:	Expansión: pasos 5 y 6.
Etapa IV:	Cierre: paso 7.

Los siete pasos

1. Generación de contexto. Contrato

1.1. Pedido del coacheado / pedido de la empresa / oferta o pedido del coach.
1.2. Contexto: tiempo, lugar, confidencialidad, etc.

2. Acordar objetivos de proceso; fijar metas

2.1. Chequear el quiebre.
2.2. Foco en la brecha entre intenciones y resultados.
2.3 Acuerdo explícito entre coach y coachee/contrato/metas de proceso.

* Las denominaciones son arbitrarias; de hecho diferentes autores dan otras definiciones.

3. Explorar la situación actual

3.1. ¿Qué está ocurriendo?
3.2. Observaciones y juicios. Fundamentos. Proceso de razonamiento.
3.3. Emociones.
3.4. Columna izquierda.

4. Reinterpretar brechas interpretativas

4.1. Re-articular y re-interpretar creencias. Responsabilización.
4.2. Indagar en la matriz. Rematrizar.

5. Diseñar acciones efectivas

5.1. Explorar alternativas y posibilidades de acción. Elección de la acción.

6. Role-playing

6.1. Simulación y práctica.

7. Reflexiones finales y cierre

7.1. Integración de aprendizajes y compromisos para la acción.

A continuación haremos una descripción de estos momentos, incluyendo al final de cada uno algunas preguntas rectoras que serán de utilidad para la indagación e intervención del coach. Estas preguntas sirven como guía y no son absolutas ni totalmente abarcativas.

ETAPA I: INTRODUCCIÓN O APERTURA

PASO 1. GENERACIÓN DE CONTEXTO. CONTRATO

1.1. Pedido del coacheado / pedido de la empresa / oferta o pedido del coach.
1.2. Contexto: confianza, tiempo, lugar, confidencialidad, etc.

1.1. Condiciones de inicio

El coaching comienza con la declaración de un quiebre o el reconocimiento de una brecha de aprendizaje. «Al actuar, siempre lo hacemos dentro de un determinado espacio de posibilidades (...). Un quiebre implica siempre un cambio en nuestro espacio de posibilidades (...). Cada vez que juzgamos que nuestro espacio de posibilidades ha cambiado, sea positiva o negativamente, estamos enfrentando un quiebre».[3]

En el coaching intentamos acortar brechas entre una situación actual y una situación deseada. El quiebre no necesariamente es algo negativo. Las circunstancias pueden ser muy variadas: un quiebre personal, un conflicto interpersonal, alcanzar un objetivo profesional, etc. Son situaciones que al producirse quiebran el decurso de nuestro existir, y pueden ser definidas como problemáticas desde la observación de quien será coacheado. Esa persona considera que no puede resolver por sí misma el quiebre declarado y requiere la colaboración de un coach que tiene las habilidades, competencias y distinciones para ser un observador diferente frente a los obstáculos que se detecten.

No hay coaching sin coach, sin coacheado y sin «brecha». Aunque resulte extraño, vale esta aclaración. En mi práctica profesional, en más de una ocasión se ha dado la situación de que ante mi pre-

3. Rafael Echeverría, *Ontología del lenguaje*, Edic. Dolmen, Santiago de Chile, 1995, p. 256.

gunta: «¿Cómo estás?». Me responden: «Bien». «¿Algo que desees coachear?». «No, está todo bien». «¿Tienes alguna situación que quisieras conversar?». «No, está todo en orden.» Mi respuesta, entonces, es ponerme de pie, reiterar mi oferta de disposición para el futuro, y retirarme. En estos casos no es función del coach inventarle o generarle ningún quiebre al interlocutor ni intentar forzarlo.

El coaching acontece en algunas oportunidades no como una elección del coacheado sino por solicitud de la empresa u organización o por una tercera persona (director, jefe o autoridad). Son éstos quienes declaran el quiebre y solicitan colaboración para el designado.

Los motivos también pueden ser variados: dificultades para el liderazgo, problemas de relación interpersonal, bajo rendimiento, promociones, cambio de responsabilidad, etc. Por ejemplo, actualmente estoy trabajando con mi equipo para una multinacional de productos medicinales. A consecuencia de un proceso de reorganización, uno de los científicos, de probada capacidad profesional, será promovido a una posición de liderazgo donde tendrá bajo su responsabilidad la coordinación de un equipo. La empresa considera que es una persona de valor para la organización pero con serias dificultades en sus relaciones interpersonales, marcadas sobre todo en la falta de competencias conversacionales que generan frecuentes choques en la interacción. El coaching –previa generación de contexto que detallaremos más adelante– focalizará, entonces, en acortar brechas en estos aspectos.

Otra posibilidad de inicio de un coaching es a consecuencia del pedido u oferta del coach. Ocurre sobre todo en ámbitos organizacionales donde la figura del jefe/gerente está cambiando por la del líder/coach/facilitador. Si el coach es el jefe, debe entenderse que esto no responde a una tarea adicional como jefe, sino que es la expresión de un nuevo estilo de gerenciar. Un nuevo modo de hacer empresa. Es éste quien hará la declaración inicial del quiebre, pidiendo u ofreciendo al interlocutor la conveniencia de un coaching, explicitando la existencia de razones o factores que lo justifican.

Podría ocurrir también que si una persona reconoce en su superior competencias como coach, sea ella misma quien solicite el coaching ante determinada circunstancia.

1.2. Generación del contexto

En líneas generales corresponde al coach la responsabilidad de generar contexto. Es preciso invertir tiempo inicial en ello. No tengo documentos al respecto, pero alguna vez escuché que se atribuye a Abraham Lincoln haber expresado que si tuviese que cortar un árbol, pasaría muchas horas afilando el hacha. Como coaches debemos invertir tiempo inicial en «afilar el hacha».

El éxito de un coaching descansa en gran medida en este paso. Es el contexto el que le da sentido a un texto.* Ya relaté un aprendizaje que hice con algunos de mis alumnos ingenieros; de ellos repito un concepto que dice: «no hay ninguna estructura que sea más fuerte que sus fundamentos». Éste es el momento de crear los fundamentos que sostendrán la estructura de todo el proceso y le darán sentido al texto, a lo que se diga, a la interacción coach-coacheado.

El contexto en una conversación o interacción es como la red que se tiende por debajo de los acróbatas; sin red, puede ser figuradamente un suicidio (o un homicidio); con red, se torna un desafío. Desde nuestra perspectiva de la ética del coaching es considerarlo siempre un maravilloso desafío.

Cuando hablamos del contexto esto involucra: confianza, autoridad, confidencialidad, espacio físico, emocional, permiso del coacheado, acuerdos de respeto mutuo, etc. Éstas son condiciones esenciales; si no se observan, el resto del proceso quedaría condenado al fracaso.

Es el coach quien deberá generar confianza, aceptando y comprendiendo la posible desconfianza inicial. Deberemos tener en cuenta

---

* Ver capítulo sobre aprendizaje y coaching.

que la entrevista inicial es bidireccional: como coaches buscamos indagar acerca del coacheado pero, al mismo tiempo, estamos siendo evaluados por el coachee. Confianza y autoridad son atributos conferidos por el coacheado (no por exigencia del coach o de otra persona). La autoridad es un poder conferido por el coacheado y la condición clave para ello es la confianza. Si confiamos, otorgaremos autoridad.

«Cuando hay confianza nos sentimos más seguros, más protegidos, menos vulnerables. La falta de confianza incrementa el temor (...) mi integridad podría estar en juego. Si una persona me inspira confianza tengo la impresión de que sabrá hacerse cargo de mí' (...), que tomará en cuenta mis inquietudes».[4]

Llegado a este punto, mis alumnos, muchos de ellos managers conocedores de la «caldera» de las organizaciones, suelen preguntar: ¿qué acontece cuando el coach es tu superior, tu jefe, tu gerente o más aún, es personal de recursos humanos que habiendo sido capacitados para ello, operan como coaches internos de la empresa? Como consultor, a veces soy contratado como coach, directa o personalmente por un manager y mi compromiso es servir al consultante. Otras, contratado por una empresa como coach externo, si bien tengo una responsabilidad ante la organización contratante, explicito desde el inicio a los directivos que mi compromiso es principalmente con el coacheado aunque mi tarea sea asistirlo en el logro de objetivos organizacionales. Es condición esencial para la confiabilidad. En cambio, cuando el coach es también el jefe o superior, la situación es más delicada ya que, aunque su intención sea asistir al coacheado, su compromiso principal es servir a la empresa. En este caso, la posibilidad para el coacheado de quedar expuesto y ver comprometida su integridad y hasta su trabajo, requieren que la generación de contexto se torne aún mucho más relevante. El coaching sólo será posible si al coach le son conferidas confianza y autoridad. De no ser así, más que coaching será hipocresía. Un em-

4. Rafael Echeverría, *La Empresa Emergente*, Granica, Buenos Aires, 2000, p. 114.

pleado podría otorgar autoridad a su superior en tanto es su jefe, pero sería posible que no le otorgara confianza en tanto coach. Por ello, un escalón esencial será explicitar esto desde el inicio abriendo al respecto un diálogo transparente y productivo para que los aspectos defensivos no se constituyan en «innombrables»; si ello sucede, sin duda interferirá el resto del proceso. El superior tendrá que chequear y corroborar previamente si cuenta con la autorización o el permiso de su empleado para ser coacheado.

Un aspecto más que importante a tener en cuenta cuando el coaching es solicitado por la organización, es que desde el área de recursos humanos o quien corresponda, comuniquen con extrema claridad al futuro coacheado las razones que lo motivan y los objetivos deseados. Esto, además de crear contexto y generar confianza, reducirá la ansiedad persecutoria que podría generarse. Me ha pasado que al no haber habido claridad en la comunicación por parte de la empresa, una persona para la que se requirió coaching –sin mencionarle que la razón era que iba a ser promovido a una posición de mayor responsabilidad–, lo había vivido como un castigo por razones desconocidas y, además de sus ansiedades paranoicas, era enorme su temor al despido.

Una clara comunicación desde el inicio es responsabilidad de la empresa. Pero también es tarea y responsabilidad del coach constatar si la información que ambos tienen con respecto al porqué y el para qué del coaching, es concordante.

Otra condición esencial es el compromiso de confidencialidad por parte del coach, no así del coacheado. Suelo hacer una distinción entre lo que es *íntimo* y lo que es *secreto*. Secreto es aquello que habiéndoseme confiado no puede ser dicho a un tercero bajo ninguna circunstancia, ya que hubo un compromiso previo en ese sentido. Íntimo es aquello que no siendo un secreto, queda en mi decisión decirlo o no. Por ejemplo, cuando tomo una ducha en mi hogar, mi familia lo sabe, se entera, no es secreto; sin embargo, generalmente es una acción que elegimos realizar en la intimidad, a puertas cerradas. En otras palabras, el coacheado tiene la libertad de compartir su intimidad con quien desee acerca de lo que dice y lo que acontece en su proceso de coaching, así como lo que es dicho por su coach. El acuerdo inicial es que él tiene el poder de decisión de exponer o no su intimidad. Para el coach, en cambio, el compromiso de confidencialidad implica que todo lo dicho es secreto, es reservado al ámbito de la interacción del coaching.

Cuando el coaching es grupal se aplican las mismas consideraciones. En estas ocasiones ya no es solamente el coach, sino todo el equipo quien asume el compromiso de confidencialidad. Cada uno de los miembros podrá hacer público lo que desee acerca de su intimidad o acerca de los dichos del coach, pero lo manifestado por sus compañeros será de absoluta confidencialidad.

Aspectos no menos importantes son el contexto ambiental y el manejo del tiempo. El contexto ambiental deberá preservar la intimidad del diálogo y la acción. Es prácticamente imposible realizar un coaching en el medio de un salón con otros escritorios próximos, donde los interlocutores deben cuidar no sólo el volumen de voz con el que hablan sino también los contenidos, por el temor a ser escuchados y quedar expuestos.

La sugerencia es prever un espacio donde coach y coacheado no tengan que invertir energía en controlar molestos factores externos que atentarían contra la espontaneidad requerida. Preservar este aspecto del contexto es también significativo para la expresión de la emocionalidad que se produce. Si bien resulta útil, y muchas veces revelador de interesantes detalles, conocer el espacio laboral del coacheado, no es condición necesaria que el coaching se desarrolle en su oficina. La decisión respecto al dónde será consecuencia de un mutuo acuerdo de conveniencia. A veces, por razones de agenda o comodidad, el coacheado prefiere trabajar en su escritorio; otras, para preservar su intimidad, elige trasladarse a la oficina del coach o a otro espacio dispuesto para la ocasión. Es sumamente importante la condición de disposición y plasticidad del coach en este aspecto, pero también lo es su criterio y su competencia para señalar la inconveniencia cuando considera que no están dadas las condiciones adecuadas.

Como podrá apreciarse no hay rigidez en el contexto. Sí es importante la rigurosidad, pero el contexto en sí mismo tiene plasticidad y es cambiante. A medida que se avanza en el vínculo, el contexto mismo se ve afectado. Sugerencias mas rígidas, que son indicadas para un inicio, pueden «transgredirse» al progresar en la relación porque el mismo contexto generado lo habilita. Debo confesar que algunos de los coachings más eficaces que he conducido fueron desarrollados caminando en soleadas mañanas por los lagos de Palermo.

(¿Por qué no permitírmelo si hasta Sigmund Freud tenía sesiones de análisis caminando por los bosques de Viena?)

Una sugerencia que suelo hacer a mi trainees es que –junto con el resto de información que recibirán– soliciten al coachee dos cosas: una, que hagan un relato detallado de cómo es una jornada cotidiana en sus vidas y lo mismo respecto a un día de ocio y tiempo libre.

La otra sugerencia, tomada del concepto de red sociométrica de Moreno, es que hagan un dibujo donde se representen con un punto en el centro de la hoja y que luego pongan a su alrededor a todos aquellos personajes significativos en sus vidas. La distancia entre éstos y el punto central responderá al grado de proximidad o distancia que sienten con respecto a ellos. Podrán integrar a familiares, compañeros de tareas, amistades y hasta algún animal doméstico si lo tuvieran. «Significativos» incluye tanto a los aceptados como a los rechazados. Es importante para visualizar y entender las redes de relaciones del coacheado y en mi experiencia esto no sólo resulta revelador para el coach, sino también para el coachee. Este ejercicio, sin duda, acrecienta la sensación de intimidad entre ambos, contribuyendo a la tan necesaria generación de contexto.

Con respecto al tiempo de duración de la sesión de coaching, vale distinguirlo como acto y como proceso. Como *acto*, la sesión de coaching no tiene un tiempo fijo ni tampoco rígido, pero sí un estimado. Dependerá del estilo personal del coach. En mi experiencia, un tiempo óptimo de duración es de aproximadamente 75 minutos. Es una extensión considerable para darle inicio, desarrollo y cierre. Hacerlo en un corto tiempo, no da oportunidad de profundizar, y extenderlo demasiado podría provocar un efecto agotador contraproducente. Como *proceso*, dependerá del contrato inicial con el solicitante. Ese contrato se hará de acuerdo con las necesidades, las expectativas y las posibilidades del coacheado y/o del criterio y consideraciones del coach. En algunas ocasiones una persona contrata los servicios de un coach como un personal trainer, sin límite de tiempo. Puede durar meses o años con una frecuencia a definir (semanal, quincenal, mensual). En otras, se estipula una cantidad determinada de sesiones durante las cuales se llevará a cabo el proceso con objetivos específicos. Como veremos en los pasos siguientes, definir lo que legítimamente se puede esperar del proceso y fijar objetivos incidirá en la estimación del tiempo que se invertirá. También aquí la experiencia y la ética del coach son condición para no prometer imposibles. Hacer lo contrario sería un engaño y desvirtuaría el coaching.

Preguntas guía

Esta instancia representa más que explicitar el contrato en general, sentar bases para la tarea y definir acuerdos básicos. Contribuye a generar el contexto para los pasos posteriores. La indagación se vuelca más al conocimiento del coacheado. Por ejemplo: *¿qué lugar/posición ocupa en la empresa?, ¿qué hace en su tarea? ¿Cómo se siente con ella? ¿Familia, estudios, tiempo libre? ¿Cuáles son sus inquietudes, intereses? ¿Qué experiencias han sido importantes en su vida y por qué?* El coach también invitará al coacheado a indagar acerca de todo lo que tenga como interrogantes e inquietudes respecto al coaching y/o al coach. Es una condición básica de cuidado y respeto hacia el otro, ya que el coacheado puede ser una persona con experiencia previa, en cuyo caso este paso inicial se facilita, aunque también podría tratarse de alguien sin experiencia en coaching y sus dudas o ansiedades pueden ser mayores.

Resulta evidente que este primer paso requiere una profunda inversión inicial, siendo relevante para las primeras entrevistas. Una vez que el vínculo coach-coachee se ha establecido, asentado, y que la relación se hace continua, se torna innecesario volver sobre los acuerdos de respeto mutuo definidos en esta etapa inicial.

Los consiguientes encuentros de coaching prácticamente comenzarán con los pasos que describiremos a continuación. En ellos sí habrá algún momento inicial de «caldeamiento» para la acción. Ese caldeamiento –como veremos en el capítulo sobre psicodrama y coaching– podrá ser específico o inespecífico. A veces son simplemente comentarios triviales; otras, alguna acción corporal; en otras ocasiones, cuando el contexto generado entre ambos es muy sólido, entramos directamente en situación de coaching.

Etapa II: Exploración, comprensión e interpretación

Paso 2. Acordar objetivos de proceso. Fijar metas.
Paso 3. Explorar la situación actual.
Paso 4. Reinterpretar brechas interpretativas.

Paso 2. Acordar objetivos de proceso. Fijar metas

2.1. Chequear el quiebre.
2.2. Foco en la brecha entre intenciones y resultados.
2.3. Acuerdo explícito entre coach y coachee/contrato/metas de proceso.

2.1. *No hay coaching sin coach, sin coacheado y sin «brecha»*

En el coaching intentamos acortar brechas entre una situación actual y una situación deseada. Esta etapa se inicia con la declaración y explicitación de un quiebre (que apunta a deficiencias en el tipo de observador que es). El interrogante inicial a explicitar será: ¿qué está pasando?, ¿qué te interesa coachear?; en otras palabras, lo que metafóricamente preguntamos es: ¿cuál es tu «dolor»? Hablamos de dolor, porque lo que trae el coacheado –sea algo intrapersonal o interpersonal– es una cuestión que lo aqueja. Ese dolor puede transitar hacia a) el sufrimiento o dolor sin sentido, lo que generalmente provoca un incremento de conductas defensivas; o hacia b) aprendizaje; darle sentido y lograr trascenderlo.

El quiebre no necesariamente tiene que ser algo «malo». Muchas veces son decisiones que nos entusiasman, pero que implican un cambio en nuestro espacio de posibilidades. A partir de dicho cambio se plantea el problema. «Problema» es un juicio, una categorización que hace el coacheado ante determinada situación. El coaching operará en la articulación entre quiebre y juicio; es decir, en las interpretaciones que hacemos de la situación; las interpretaciones que le dan sentido desde el particular observador que el coacheado es.

Por ejemplo: si alguien pide coaching a consecuencia de cambios organizacionales que le hacen dudar si continuar o no en la empresa, el «dolor» de la duda es el quiebre. En su opinión eso se constituye en problema. Las explicaciones y particulares interpretaciones acerca del quiebre son las articulaciones, sobre las que operará el coaching («desarticular» y re-interpretar).

Ninguna situación por sí misma se constituye en quiebre. Como dice Rafael Echeverría, un quiebre requiere de dos elementos: 1) una determinada situación o experiencia y 2) una particular forma de interpretarla. Lo que para unos es un quiebre, para otros no lo es. Lo que la convierte en quiebre es la interpretación, el sentido que le conferimos. Una cosa es la observación o hecho y otra es la opinión o juicio que sobre ella hagamos.

Del mismo modo –en el decir de Humberto Maturana– una cosa es el fenómeno en sí, y otra muy distinta, la interpretación de tal fenómeno. La explicación o interpretación *habla* del fenómeno, pero no *pertenece* al fenómeno. Tener un quiebre es hacer un juicio, y tener un juicio no sólo habla de la situación, sino de la persona que lo emite; del particular observador que es. Trabajar en esta articulación es tarea del coaching.

Una última pero no menos importante consideración para este apartado, se refiere a la clara identificación del quiebre y al riguroso chequeo de comprensión por parte del coach. Esto asegurará una orientación para la apertura y evitará indefiniciones que comiencen a guiar el proceso por caminos errados, fundados muchas veces en intuiciones o supuestos equívocos. Vale destacar que este quiebre declarado por el coacheado en el inicio, en múltiples ocasiones es una puerta de acceso, o la capa mas superficial de la cebolla, detrás de la cual irán apareciendo otros que direccionarán el proceso de coaching hacia una mayor profundización. Se parte de un quiebre «manifiesto» por detrás o por debajo del cual podrían surgir otros, latentes o menos reconocidos.

2.2. *Revisión de expectativas por parte del coacheado*

El objetivo de este paso es definir y explicitar brechas y fijar metas entre coach y coacheado con respecto a los alcances del coaching. La meta debe ser «concreta» y accionable, desde la persona y las acciones del coachee. Vale recordar la distinción entre deseo o aspiración y lo que son hechos concretos. Por ejemplo, si el coacheado tuviera como objetivo «ser feliz en mi trabajo», sería una definición abstracta. Iniciar una acción aceptando esta meta como desafío, con seguridad terminará en fracaso. Felicidad, como concepto, tendrá diferentes significados de acuerdo con el observador. Ahí es donde la escucha del coach requerirá una definición en el plano de lo concreto. Habrá que especificar qué significa felicidad para ese particular observador que es el coacheado. En otras palabras, el coach deberá guiarlo en la indagación para concretar en hechos «qué debería ocurrir, para que tú digas que eres feliz en tu trabajo». En relación con este punto es de particular importancia hacer foco en cambiar acciones personales, no en cambiar a otros. De esto hablamos cuando decimos que las acciones en pos de una meta deben ser accionables desde uno o factibles para uno mismo. Continuando con el ejemplo, ante la pregunta del coach el coachee podría responder que para ser feliz en su trabajo su jefe debería ser más comunicativo, debería tener un estilo de liderazgo diferente y reconocerlo en sus logros. El coach no puede ni debe prometer nunca un cambio de situaciones (por ejemplo, obtener aumento de sueldo o un ascenso o un cambio de actitudes de otros). Sí puede comprometerse a iniciar un proceso para expandir la capacidad de acción en el coachee, que lo llevarán a ser un observador diferente de la situación de «infelicidad» y a desplegar su potencial en pos de alcanzar esa meta deseada. En el ejemplo mencionado, que realmente ocurrió, la respuesta del coach fue: «No puedo prometerte que tu jefe vaya a cambiar (o que te otorgará el aumento de sueldo) como meta del coaching, pero sí te propongo trabajar juntos, para ver qué nuevas o diferentes acciones podrías llevar a cabo al respecto».

El caso –que luego desplegaremos como ejemplo en su totalidad– finalizó con el diseño de una conversación con el jefe, anteriormente temida y evitada por el coacheado. En este caso resultó exitosa, pero cabe aclarar que no podemos prometer garantía de éxito. Cambia el observador, incrementa sus competencias para hacer distinciones que antes no tenía, cambian las acciones; tampoco es garantía de éxito. ¿Por qué? Porque hacemos una distinción entre objetivos de proceso y objetivos de resultado.

En los *objetivos de proceso,* la responsabilidad del que acciona es incondicional; responde a las preguntas: «¿quién voy a ser ante estas circunstancias? ¿Cómo elegiré responder? Puedo seguir con mi infelicidad, o puedo renunciar, o puedo intentar un cambio en la insatisfacción ante mi jefe».

En los *objetivos de resultado,* en cambio, la responsabilidad del que acciona es condicional; no depende sólo de él, depende también de factores externos a él (por ejemplo, la intransigencia del otro). De ser así, de no tener éxito, nuevamente la responsabilidad pasaría a ser del que acciona. Y nuevamente surgen las preguntas: «¿Que haré ahora? ¿Cómo responderé ante las circunstancias? Puedo elegir quedarme a pesar de todo, porque es difícil encontrar otro empleo y elijo cierto displacer antes que la desocupación o empiezo a buscarme un nuevo trabajo, pido un cambio de sector o busco otras opciones».

2.3. Contrato entre coach y coachee

Definir lo que legítimamente se puede esperar del proceso y fijar límites. Esto es una verdadera declaración en contra de la omnipotencia del coach y –como ya dijéramos– orientará mejor los siguientes momentos del proceso. Eso es ética, humildad y plena responsabilidad por parte del coach.

Preguntas guía

¿Qué te está pasando? ¿Qué te interesaría trabajar? ¿Qué querrías que pase en este coaching? ¿Cuáles son tus expectativas? ¿Qué esperas como resultado?

Paso 3. Explorar la situación actual

3.1. ¿Qué está ocurriendo? Explorar la situación concreta.
3.2. Observaciones y juicios. Fundamentos. Proceso de razonamiento.
3.3. Emociones.
3.4. Columna izquierda.

3.1. Explorar la situación concreta

En los pasos anteriores el propósito de la indagación estaba puesto en chequear el quiebre y en definir claramente las metas del coaching entre las expectativas que se traían y los alcances que éste podía tener. El tema allí era la brecha, pero entre intenciones y resultados.

Aquí, en cambio, la exploración enfocará más en la situación propiamente dicha. A través de la indagación, buscamos ampliar la imagen de lo que está ocurriendo y observarla en todos sus detalles. Se profundiza más sobre la brecha entre situación actual y situación deseada; en el qué está pasando y qué le gustaría al coachee que pasara para estar en paz.

A partir de éste, y en los siguientes pasos, el propósito es explorar, avanzando sobre la interpretación y el sentido que le da el coachee.

En este punto es más que relevante el lugar que ocupa la indagación, el saber preguntar, para conducir el proceso y rearticular creencias.

3.2. Diferenciar hechos y opiniones

Exploramos la situación actual, buscando una mejor comprensión de por qué «eso» que pasa es un quiebre para el coacheado, y qué hace que no pueda resolverlo por sí mismo. La indagación se orientará a investigar los supuestos que subyacen en los juicios e interpretaciones del coacheado.

Escuchar no implica «comprar» el relato del coacheado, sino comprender su particular manera de observar la situación. Como coach, escuchamos activamente sus explicaciones procurando discriminar los hechos de las opiniones. Esos juicios se refieren al quiebre del coachee. Mediante la indagación y la reflexión, lo invitamos a hacer la distinción entre lo que son observaciones y lo que son juicios como fundamentos de su razonamiento y, en lo posible, que ilustre mediante ejemplos concretos. También verificaremos inferencias, definiremos sus estándares de evaluación, revisaremos el proceso de razonamiento que lo lleva de las observaciones a las conclusiones; en otras palabras, nos proponemos averiguar cómo llega a esas conclusiones a partir de esos datos.*

Las preguntas, que son la herramienta del indagar, estarán orientadas hacia el aprendizaje, no dedicadas a mostrar los equívocos del coacheado. El coach indaga no para refutar ni para desvirtuar el relato del otro. No tiene ninguna posición como tampoco ninguna verdad mejor que defender.

La escucha será reflexiva. Esto posibilita al coach desarticular creencias haciendo un *check back*. Es decir, confirma la comprensión para ayudar luego a desarticular (valida la opinión del coacheado, pero no como *la* verdad). El coach es un observador diferente. Respeta la historia del otro pero no la compra. Por ahora, aún explora para lograr una interpretación, y luego –a partir del punto 4– reinterpretar. Esto muchas veces gira el foco sobre el quiebre, que pasa a ser diferente al declarado en el inicio.

---

* Recuérdese el relato del entrenador de cucarachas.

3.3. Incluir las emociones

Como decimos en el capítulo sobre inteligencia emocional, las emociones constituyen un dominio siempre presente en toda acción humana. El quiebre del coacheado y la brecha a acortar están atravesados por emociones. Algunas muy manifiestas y otras latentes. Muchas veces la emoción es claramente reconocible y otras aparece negada, manifestándose como sensación.

Un coaching puede iniciarse a partir de una emoción. El coacheado siente que algo le pasa, tiene alguna ligera idea que no puede precisar con claridad; en cambio sí es muy definida la emocionalidad que lo embarga. Esa emoción es, entonces, la vía de acceso a una exploración que nos guiará a una interpretación. Ocurre también que hay emociones encubridoras de otras: por ejemplo, la tristeza encubriendo el enojo o viceversa.

Llegado a este punto del proceso del coaching es preciso explorar en la emoción que atraviesa al coachee en la situación investigada, para acceder a una mejor comprensión del sentido que otorga el coacheado a lo que le pasa. La interpretación que haga derivará en una emoción y condicionará la respuesta; el enojo, por ejemplo, será consecuencia de la interpretación que el coacheado haga de un acontecimiento en el que se sintió agredido. Las acciones consecuentes serán probablemente hechas desde el enojo o el resentimiento. También puede pasar a la inversa, en que una emoción previa –que puede tener o no que ver con la situación actual– contamine la interpretación (como estar en uno de esos días en que vemos todo negro o sentimos que el mundo se confabula contra nosotros). Definimos a las emociones como predisposiciones para la acción; en función de ellas se realizarán determinadas acciones y se evitarán otras. También un equipo actuará de una manera diferente si está motivado o si no lo está.

Muchas veces, al comenzar a trabajar con las emociones, se produce un giro que reorienta la dirección del coaching. Por ejemplo, recuerdo el coaching con el gerente de una empresa de alimentos. Después de 15 años de antigüedad y debido a una crisis como consecuencia de una enorme deuda de la compañía, se produjeron cambios organizacionales con reducción de personal. El clima organizacional era tenso. Sus emociones eran desgano, temor y desmotivación. El coaching se inició con el dilema de la indecisión acerca de renunciar o continuar. Sus juicios eran que el mercado estaba complicado, sumados a aquellos que hablaban de las injusticias cometidas en la empresa. En el curso de la interacción –además de hacer distinciones acerca de hechos, opiniones y sus fundamentos–, nos orientamos hacia las consecuencias de cada uno de los extremos del dilema. ¿Qué pasaría si eligiera continuar en su posición? Cuáles serían las posibles consecuencias en lo personal, en lo interpersonal, respecto al proyecto o las tareas, etc. Ahí pudo definir mejor que lo que estaba pasando era que ya no había proyecto, que no se respetaban contratos previos, que la situación era de subsistencia. Agotada esta instancia exploramos el otro extremo: ¿qué consecuencias se producirían si decidiera renunciar? En esta instancia pudo definir claramente que su deseo era irse, pero que lo embargaba el miedo a la desocupación. Fue entonces cuando produjimos el giro antes mencionado y la reorientación de la dirección del coaching derivó en focalizar en su emoción «miedo» para procesarlo, redimensionarlo e intentar trascenderlo mediante acciones efectivas.

El abordaje del trabajo emocional deberá ser muy cuidadoso y respetuoso. Hay personas muy abiertas a la expresión y el compartir emocional, como las hay muy reservadas o introvertidas. Cualquier intuición o supuesto del coach tendrá que pasar previamente por el chequeo. El resultado será muy diferente si es el coachee quien dice cómo se siente o si irrespetuosamente adjudicamos al coacheado una emoción («¡estás con culpa!», o «¡tienes miedo!», por ejemplo). Una manera más adecuada de intervenir sería preguntar, chequear una percepción o aventurar una hipótesis que como coach tengamos, al estilo de: «¿te sientes culpable ante eso?» o, «¿podría ser que ante tal cosa te sientas temeroso?» o, «tengo una hipótesis que me gustaría compartir y chequear contigo...».

Así como la fiebre no es una enfermedad, sino que remite o señala que hay una infección en alguna parte del organismo, también las emociones son indicadores o señales que contienen una valiosa información que es preciso escuchar, interpretar y aprovechar. Ellas también son expresiones de un particular observador.

Sin duda, es relevante explorar e interpretar las emociones, sus raíces, su operatividad, sus consecuencias y trabajar en ellas con la finalidad de procesarlas, trascenderlas y expandir nuestra capacidad de acción efectiva y productiva.*

3.4. Investigar la columna izquierda

Como sucede con las emociones, también los pensamientos no expresados son fuente de una invalorable riqueza y potencial si aprendemos a reconocerlos, procesarlos y expresarlos. Es de suma importancia explorar en esos contenidos guiando al coacheado mediante la indagación acerca de cuáles son los pensamientos y sentimientos no expresados, por qué no son expresados, cuáles serían las consecuencias de decir o no decir esos contenidos, qué se está evitanto, etc.

¿Por qué es de vital importancia este paso? Porque, con toda seguridad, encontraremos allí la verdad más esencial para el coacheado. Muchas veces lo que nos tiene «atrapados» es no decir la verdad. Recordemos que no existe tal cosa como *la* verdad, sino que nos referimos a la verdad del coachee. Reconocerla será entonces un primer paso para luego ver cómo procesarla para hacerla productiva.

Preguntas guía

¿Qué está sucediendo?¿Cuál es la situación? ¿Dónde te ocurre? ¿Quiénes son los protagonistas? ¿Qué desearías que sucediera o que hubiera sucedido? ¿Qué necesitas que ocurra para estar en paz?¿Qué cambiaría si ocurriera X? ¿Tienes alguna idea... o, qué piensas o qué crees acerca de por qué pasó lo que pasó? o, ¿cuál es tu opinión de por qué ocurre X? ¿Qué te hace pensar que...? ¿Qué tendría que pasar para

* Para una mayor profundización sobre este importante tema remitimos al capítulo sobre inteligencia emocional, donde también encontrará guiones o preguntas guía del coach para trabajar con estados emocionales.

que cambies tu opinión? ¿Qué te impide actuar?¿Cómo te sientes con esto? ¿Qué hay en tu columna izquierda (pensamientos y sentimientos ocultos)? ¿Por qué no la expresas? ¿Cuáles son las consecuencias –no deseadas– de decir y de no decir?¿En qué datos/observaciones se funda tu opinión? ¿Qué te lleva a pensar que tu opinión es válida? ¿Cómo llegas a esa conclusión a partir de esos datos? ¿En qué te incumbe/preocupa/importa lo que está sucediendo? ¿Qué opiniones estás tomando como hechos? ¿Qué compromisos se han roto/no se honraron? ¿Qué disculpas no se ofrecieron (tanto del coachee como de un tercero)?

Paso 4. Reinterpretar brechas interpretativas

4.1. Rearticular y reinterpretar creencias. Responsabilización.
4.2. Indagar en la matriz. Rematrizar.

4.1. Rearticulación y reinterpretación de creencias

Habiendo avanzado en la exploración de observaciones, juicios, procesos de razonamiento, emociones, pensamientos no expresados, etcétera, buscamos aquí profundizar en la comprensión e interpretación. Algo que empezó en pasos anteriores, ahora comienza a cerrar como etapa, al mismo tiempo que dialécticamente abrirá a nuevas interpretaciones y generará nuevos sentidos. El coach invita al coacheado a asumir respons(h)abilidad, ayudándolo a transformar sus juicios automáticos en explicaciones «responsables». Que pueda transformar el observador que es, involucrándose como un factor contribuyente de la situación o del dolor que lo aqueja. Se trata de contar la historia como protagonista (no como víctima) de forma tal que abra posibilidades de acción. Comprenderá desde sí mismo, que *esto* no es lo que pasa; es *su* interpretación de lo que pasa y, como tal, es sólo una de las múltiples interpretaciones posibles.

En el ejemplo mencionado anteriormente y que luego desplegaremos en su totalidad, el coacheado comprenderá qué «injusto» es «su» juicio, su interpretación respecto de su jefe; no es un hecho.

Asumirá responsabilidad cuando en lugar de hablar opinando sobre el otro, pueda expresar en primera persona: «No me siento reconocido», y pueda verse como factor contribuyente de su sufrimiento, porque hasta entonces se veía como víctima y como tal cerrándose posibilidades de acción.

Lo interesante es que muchas veces la sola reinterpretación lleva a una disolución. Lo antedicho –insistimos– no tiene que ver con cargarse de culpa. Responsabilizarse, desde esta concepción, es responderse a la pregunta acerca de «¿qué posibilidades me generaré para responder a las circunstancias?»; «¿cómo ser protagonista y no contribuir desde la inacción a lo insatisfactorio de la situación?».

¿Qué hicimos? Desarticulamos, rearticulamos y reinterpretamos. Buscamos otras interpretaciones posibles, distintas a la original. Comenzamos así a armar un modelo interpretativo diferente que cerrará en acciones posteriores.

4.2. *Indagación en la matriz y rematrización*

Cabe resaltar que éste es un paso de suma importancia, aunque no siempre se lleva a cabo. Como describiremos más adelante consiste en una profundización en la historia personal y en el ser del coacheado que requiere de mucha pericia y profesionalidad por parte del coach. Por momentos hasta podría confundirse con una intervención psicoterapéutica, por lo que sería un valor agregado que el coach además fuese psicólogo. De todos modos, es requisito fundamental anticipar al coachee lo que se intenta explorar, el porqué y el para qué y la modalidad de intervención. Es preciso contar con el permiso del coacheado. Sino, sería un abuso y una irrespetuosidad.

«Ayer uno fue aquél y hoy uno es éste. Pero es útil ver hoy el que uno fue ayer, porque en esta dialéctica se está construyendo el que uno será mañana.»

Eduardo Pavlovsky

Hablamos en este punto de indagar en la matriz y rematrizar. Ambos conceptos son básicos en la concepción psicodramática. El *locus* constituye el lugar, tiempo, situación y momento matricial en el que se ubica un acto fundante. Es el escenario donde acontece un acto fundante. El útero y la placenta son el locus del niño por nacer. Así como tiene su lugar, todo tiene su *matriz* de acciones o respuestas también fundantes. La actitud original de un sujeto frente a una circunstancia en algún momento de su vida, se constituirá en la matriz de una conducta, que habiendo sido adecuada en ese momento o locus, podría repetirse luego ante otros locus o circunstancias. Esa respuesta defensiva que fue adaptativamente adecuada frente a un estímulo, será limitante y obstaculizadora de nuevas respuestas frente a circunstancias vitales diferentes. Así, por ejemplo, la negación que fuera matrizada defensivamente por un niño a los 10 años como respuesta a una situación de miedo, tenderá a repetirse como respuesta en la edad adulta, pero ahora ya inadecuadamente. A los 10 años respondió de la mejor manera que su estructura –física, psíquica, emocional– de entonces le permitió. A los 30 años, esa manera de responder, fuertemente arraigada en experiencias del pasado, operará como obstáculo bloqueador, limitante de la acción y el aprendizaje. Lo que fuera matrizado como respuesta defensiva ante un padre autoritario, por ejemplo, probablemente se repita ante la figura de un jefe con esas características en el ámbito empresarial. Con toda seguridad, tampoco será difícil el reconocimiento de las mismas actitudes-respuesta en otros aspectos de su vida vincular.

Cuando exploramos en la conducta que el coacheado da como respuesta a una situación, es mucho más relevante preguntar para qué lo hace, que preguntar acerca del porqué.

En el proceso del coaching indagamos en la particular «forma de ser del coacheado» y en función de los conceptos antedichos, una operación fundamental consistirá en la exploración de esas conductas limitantes y en la asunción de responsabilidad frente a ellas. Se tratará entonces de rematrizar; esto es, buscar nuevas respuestas para las circunstancias del presente. ¿Cuáles son los recursos y posibilidades de responder ahora? Preguntas clave para el coachee serán: ¿dónde más te ves respondiendo de la misma manera? ¿Te pasa/pasó lo mismo en algún otro momento de tu vida? ¿Cuándo? ¿Qué pasó? ¿Cómo fue? ¿Cuál sería el común denominador de estas situaciones? ¿Cuáles son los recursos y posibilidades de responder ahora?

Es más que evidente el particular cuidado, respeto y pericia con los que hay que intervenir cuando operamos indagando en la matriz.

Preguntas guía

¿Cómo podrías explicar lo trabajado pero desde ti, es decir, en primera persona del singular? En otras palabras, ¿cómo podrías transformar los juicios o las explicaciones de «víctima» en explicaciones de «protagonista»? ¿En qué/cómo contribuyes a esta situación? ¿Cómo crees que eres un factor contribuyente? ¿Qué y cuánta responsabilidad estás dispuesto a asumir frente a esta situación? ¿Qué otra forma de explicar podrías darte? ¿Qué deseos no estás honrando/cuál es tu sueño? ¿Cuál es tu interés más profundo detrás de ese deseo? ¿Qué verdad te estás ocultando? ¿Cuándo pasó esto antes en tu vida? ¿Cómo resolviste o enfrentaste entonces la situación? ¿En qué otras circunstancias te pasa o pasó?

Etapa III: Expansión

Paso 5. Diseñar acciones efectivas.
Paso 6. *Role playing.*

Paso 5. Diseñar acciones efectivas

5.1. Explorar alternativas y posibilidades de acción. Elección de la acción

Aprender es expandir la capacidad de acción efectiva. En la etapa anterior, el énfasis estuvo puesto en la exploración, comprensión e interpretación. En el cierre de dicha etapa, el coacheado, siendo su propio observador, puede reconocerse y aceptarse como parte involucrada en la situación. En la etapa que ahora se abre el concepto de acción es central. El coacheado ha generado ya nuevos sentidos, reinterpretando creencias. Es ahora la instancia en que no basta que el coacheado modifique interpretaciones sino que, siendo un observador diferente, expanda su capacidad de acción, desplazándose hacia una forma de ser diferente. Luego, sus acciones –y probablemente los resultados– serán diferentes. Somos por lo que hacemos. Actuamos como somos y somos como actuamos, y esa acción, a su vez, genera ser. «La mejor manera de *hacer* es *ser*» (dicho atribuido a Lao Tsé).

Aquí, el coachee diseña futuro. La acción estará orientada al futuro, buscando alternativas de acción que le posibiliten contribuir, desde el protagonismo, a cambiar la situación que lo aqueja y/o lograr el resultado deseado.

La imagen sería como tener todos los elementos analizados, desplegados sobre la mesa como un mapa, y comenzar a diagramar cursos de acción desde un principio de humildad que dice: «no puedo cambiar el pasado –ni siquiera Dios lo hace– pero puedo intentar diseñar el futuro».

Dado que también el lenguaje es acción, el coaching se volcará a explorar alternativas de conversaciones posibles, con la implementación de las herramientas conversacionales antes descriptas. Finaliza este paso con la selección de aquella alternativa que el coacheado considera que más le «con-viene» («viene con él»; es decir, con sus competencias, con su emocionalidad, etc.)

Preguntas guía

¿Qué alternativas de acción ves como posibles? ¿Cómo podrías decir tu columna izquierda habilidosamente? ¿Qué estrategias/cursos de acción podrían ayudarte a obtener lo que quieres? ¿Qué te lleva a pensar en ellas como alternativas? ¿Qué vas a hacer? ¿Cómo puedes contribuir para cambiar aquello que aconteció? ¿Para qué lo harás? ¿Qué esperas

como resultado? ¿Qué sientes como impedimento para actuar? ¿Qué ves como obstáculo?

Paso 6. Role playing

6.1. Simulación y práctica

Sumado a la resistencia al cambio, el coach debe comprender el desafío que implica para el coacheado realizar acciones no habituales en su comportamiento. La acción a seguir será con seguridad un *desafío* y habrá que cuidar al coacheado para que su implementación no se convierta en «suicidio».

Es importante tomar en cuenta que no hay tal cosa como *lo correcto*. No hay *una* estrategia correcta de intervención y acción. Por ello será de suma utilidad tejer una red de contención con el coacheado, simulando con *role playing* la situación futura y practicando la aplicación de las herramientas aprendidas, en el ámbito y dentro del contexto del coaching.

Dado el contexto, éste es un espacio de seguridad psicológica y emocional, en el que hasta los errores son oportunidades para aprender. El coach se compromete físicamente en la acción, desempeñando en la escena los diferentes papeles asignados. Trabajamos escenificando una supuesta situación (por ejemplo, una conversación con el superior) en la que se interviene acorde con la acción elegida para llevar a cabo.

Durante el *role playing* se implementan diferentes técnicas dramáticas: soliloquio, inversión de roles, concretización, espejo, doble, etc.* Sugerimos que el coach señale cosas desde la acción misma, desde el rol que está desempeñando. Por ejemplo, el coacheado le pide una cita a su jefe para conversar. El coach –desde el rol del jefe– podrá contestar que se lo deje pensar. ¿Que hará el coachee

---

* Ver técnicas psicodramáticas y coaching.

en ese caso? Puede irse aceptando esa respuesta o podrá decir: «OK, discúlpame, veo y entiendo que estás con el tiempo limitado; ¿cuándo crees que podrías darme una respuesta?». En otras palabras –practicando con las herramientas aprendidas en el coaching–, intentará que su pedido cierre con un compromiso. También es un ejercicio muy útil para ejercitar el procesamiento de los pensamientos que hay en la columna izquierda. Ello nos dará márgenes para la corrección y adecuación de rumbos a seguir y de actitudes, acciones y conversaciones a implementar.

Preguntas guía

Aquí no hay preguntas específicas. Las mismas surgirán de la interacción y del juego de roles. Desde el mismo juego de roles el coach va señalando, didácticamente, las adecuaciones y correcciones necesarias.

Etapa IV: Cierre

Paso 7. Reflexiones finales y cierre

7.1. Integración de aprendizajes y compromisos para la acción

Recordemos que el coaching es un proceso fundamentalmente basado en el amor y el respeto por el otro. Del mismo modo que muchas veces decimos de una prenda de vestir que «es linda, pero tiene una mala terminación», lo mismo podría ocurrir con el proceso de coaching, si no fuésemos cuidadosos en este momento del proceso. Si como técnico mecánico voy a desarmar un motor para explorarlo y repararlo, deberé contar con las competencias para volver a armarlo. De igual manera, el coach debe actuar con impecabilidad y hacer un cierre adecuado. Su acción no puede quedar sólo en algo «catártico». Esta última etapa se constituye en un momento de procesamiento e integración del aprendizaje. También de compromiso para la acción. El coach ayudará en la indagación y en la reflexión acerca de cuáles fueron los aprendizajes, cuáles son los pensamientos y sentimientos del coacheado ahora y en relación con el inicio y también se extiende el diálogo hacia otros comentarios finales emergentes.

No siempre, pero sí en repetidas oportunidades, implemento una técnica basada en la prospección psicodramática al futuro, solicitando al coachee –ya próximos al cierre de la sesión– que se imagine volviendo a su casa y reflexionando acerca de la sesión. ¿Cómo te sientes respecto a la misma y respecto a nosotros?¿Quedó algo no dicho o alguna pregunta no formulada? ¡Expresa tus pensamientos en palabras! Esta metodología no sólo me ha dado buenos resultados, sino que muchas veces se constituyó en el prólogo de la siguiente sesión.

La sesión de coaching como *evento* terminó; como *proceso* continúa más allá de las conclusiones finales y del cierre.

Preguntas guía

¿Qué aprendiste? ¿Qué harías de modo diferente si te volviera a ocurrir algo parecido? ¿Que piensas ahora? ¿Como te sientes ahora? ¿Qué vas a hacer? ¿Cuál es tu compromiso de acción?

Ejemplo. Desarrollo de un coaching

En el ejemplo siguiente podrá reconocerse la aplicación de conceptos y herramientas descriptas anteriormente. Si bien el coaching como proceso tiene un principio, desarrollo y cierre, reiteramos que la distinción en cuatro etapas y siete pasos es presentada solamente con fines didácticos; en la práctica el modelo de intervención es más dinámico. Los pasos y etapas se entremezclan y articulan realimentándose entre sí. En muchos momentos del proceso damos un paso atrás –donde se revisa, se corrige, se observa desde otro lugar– para dar luego, dos adelante.

Contexto: La acción se desarrolla en la oficina privada de Guillermo, líder de proyecto, con una antigüedad de siete años en la empresa. Claudio es coach externo, contratado por la compañía para asistir a varios de sus líderes y gerentes. El vínculo entre ambos ya lleva algunos meses de encuentros quincenales, con lo cual entendemos que hay un contexto previo generado entre ellos. Ya no es necesario invertir tiempo en lo que serían los pasos 1.1. y 1.2. Esto facilita la interacción y tras los saludos iniciales pasan rápidamente a la intervención.

(Encuentro, saludos iniciales.)

Claudio, coach: Bueno, contame, ¿que querés que trabajemos?

Guillermo, el coachee: Tengo una situación difícil, creo que con mi jefe.

C. Veamos; ¿qué está pasando? Contame.

G. No estoy bien; ando desganado, desmotivado. No tengo ganas de venir a la oficina. Encima, estamos con un nuevo proyecto y, contrariamente a otras veces, no me entusiasma. No estoy rindiendo como a mí me gustaría. Mi equipo no entiende lo que me pasa pero... se dan cuenta de que hay algo que no anda bien. Algunos me preguntaron, pero no sé, o no quiero decirles. Pero es evidente que mi actitud resiente la tarea; por más que lo intente, no puedo.

C. ¿Qué opinión tenés del nuevo proyecto?

G. ¡Superinteresante!

C. Debo entender entonces que el tema no es el proyecto en sí.

G. En absoluto. Soy yo, que no termino de ponerme las pilas.

C. ¿Cómo lo explicarías? ¿Cuál es tu opinión acerca de eso?

G. En mi opinión son las injusticias de mi jefe... creo que tiene que ver con eso.

C. Y a vos ¿qué te gustaría que pase con eso? ¿qué tendría que pasar para que las cosas sean diferentes? ¿A qué llamás injusticias de «mi jefe»?

G. Mi jefe tendría que cambiar su forma. Su trato no es bueno. Te hablé antes de una situación difícil. Ya no lo aguanto y hasta he pensado en pedir un cambio de sector. No sé qué hacer.

C. ¿Qué te interesaría trabajar conmigo? ¿Qué querrías que pase en este coaching?

G. No sé. Que me ayudes a ver qué hacer. Pienso en encararlo porque tengo bronca, pero también cierto temor. Vos sabés cómo son estas cosas...

C. ¿Y cuál sería tu objetivo si lo hicieras? Digo, si lo encararas.

G. Que cambie su forma de ser; que sepa lo que pienso de su forma de liderar y cómo impacta eso en el equipo.

C. No puedo garantizarte que él cambie. Eso está fuera de mis posibilidades. Tampoco creo que sea el punto; pero me suena interesante que te propongas hacer algo... te propongo trabajar en esa conversación que querés mantener... ¿te parece?

G. OK.

C. Veamos; escucho que decís que su trato no es bueno, que te trata mal. Hace un rato, desde tu enojo, hasta dijiste que es un «jodido». ¿Es ésta una opinión generalizada?

G. *(piensa)* No, no lo es. En realidad, hace pocos meses que está con nosotros. Viene de la casa matriz en Alemania donde parece que fue muy exitoso. La dirección lo reconoce y en general el equipo lo respeta.

C. Sobre la base de lo que escucho, parecería entonces que no *es* un jodido, pero sí que *vos* opinás que lo es... y ésta es una distinción importante, ¿podés verlo? Sigamos: ¿en que te basás para decir que es injusto?, ¿cuáles son tus datos?

G. No te entiendo, ¿qué me querés decir?

C. Disculpame; quiero decir, ¿cuáles son los hechos que te hacen pensar así? ¿Qué es para vos «me trata mal»? ¿En qué te basas para opinar de esa forma?

G. Simple. Soy uno de los que más trabaja, prácticamente soy el primero en llegar y el último en irse, cosa no menor ya que me trae enormes problemas con mi esposa y mis hijos. Tengo mis tareas al día, hemos ganado el 78% de las licitaciones, el último balance arrojó rentabilidades que superaron las expectativas, son excelentes las encuestas de clima, el equipo esta supermotivado... el único que no anda bien soy yo que tengo re-puesta la camiseta de la compañía *(sigue, visiblemente enojado)*. ¿Vos viste algún agradecimiento? ¿Algún «muy bien»? Es injusto que no haya el mínimo reconocimiento por la gestión!... Claro, ¡es mi obligación, ¿no?! ¡Si sólo estoy haciendo lo que corresponde! ¡¡¡Dejame de embromar!!! A veces hasta tengo ganas de pegarle una piña. Quisiera que una vez, ¡al menos una!, me reconozca lo que hago por la compañía.

C. ¡Fijate que interesante lo que decís! ¿Te escuchaste recién? Dijiste «quisiera ser reconocido»... eso es muy diferente a decir «es un injusto, un jodido». ¿No creés? ... *(silencio reflexivo)*.

C. ¿Qué distinción ves entre *es un injusto* y *quisiera que se reconozca mi trabajo?*

G. *(sonriendo)* ¡No aprendo más, ¿eh?! En la primer afirmación estoy hablando del otro y en la segunda hablo de mí...

C. ... con lo cual volvemos al principio. «Es un injusto» es una apreciación personal tuya y no lo convierte a él en tal cosa; de hecho –como vos mismo reconocés– muchos opinan diferente. Luego, tu deseo: «quiero que cambie su forma de ser». ¿No será tal vez algo pretencioso? ¿Injusto también? ¿Quizás imposible? ¿Cuántas veces nos pasa lo mismo con nuestra pareja, amigos, hijos?... ¿Voy siendo claro?

G. Creo que sí. Siempre apostamos a que sea el otro quien cambie.

C. ¡Hay una enorme diferencia entre «cambiar al otro» y «ser reconocido por mi tarea»! Y lo más importante: darte cuenta de esto te abre un enorme espacio de posibilidades de acción, que probablemente te aproximen más al resultado esperado, que el hecho de pegarle una trompada. Entonces, a ver si podemos focalizar aún más el objetivo que tenés. Se trata de ver como ampliar el campo de tu espacio de posibilidades. ¿Cuál es el interés más profundo que hay detrás de tu desgano y tu enojo?

G. Lo que me gustaría es obtener reconocimiento por lo que hago. Lo reconozco.

C. Y tu lógica dice: «el que no me reconoce es un injusto y un jodido»... ¿Lo ves? Bien. ¿Y que creés que podés hacer de en ese sentido? En otras palabras: ¿cuánta responsabilidad estás dispuesto a asumir?

G. Me doy cuenta de que debería poder conversar con mi jefe; pero, ¿cómo hago para decirle *todo* lo que pienso?

C. Volvemos a lo mismo. ¿Quién te dijo que tenés que decir *todo* lo que pensás?

G. Pero... ¿no sos vos el que sostiene que hay que hablar con la verdad? ¿En qué quedamos?

C. Acordemos que en todo caso no hay tal cosa como *la* verdad. Si probaras un poco más con la humildad podríamos aceptar que tenés *tu* verdad (tan válida como la del otro). Y creo no equivocarme si afirmo que no sabés absolutamente nada de la verdad de tu jefe. ¿Querés que exploremos en eso?

G. OK.

C. Contame alguna escena o situación con él. Algo cotidiano donde ocurra eso que decís que pasa y que tanto te molesta.

G. Fácil. Le entrego la última evaluación de resultados con una excelente proyección de ventas para el próximo trimestre. Voy a su escritorio y se lo alcanzo de acuerdo a lo prometido en tiempo y forma. Me recibe muy formalmente, lo hojea, remarca alguna cosa, creo notarle un gesto de satisfacción aunque no dice nada... Me da las gracias y con sequedad agrega: «cuando termine con lo que estoy haciendo, lo miraré con más detenimiento. Gracias.»

(Silencio.)

C. Seguí imaginando ese momento y contame qué pensás y sentís... ¿cuáles son aquellos pensamientos y sentimientos que no estás expresando? Si te ayuda, cerrá los ojos. Decilos ahora como si estuvieras frente a él.

G. *(En un soliloquio, como hablándole a su superior.)* ¡¿Te das cuenta que sos el mismo de siempre?!; ¿jamás me vas a decir «muy bien, o me alegro, o hiciste un buen trabajo, o me siento orgulloso por lo que lograste?». ¿Por qué no vas vos a los cursos de liderazgo a los que me mandás?

C. Y te da mucha bronca... *(el coach señala esto para incluir la emocionalidad.)*

G. ¿A vos no te pasaría igual? ¡Vamos...!

C. Probablemente..., aunque intuyo que por detrás de la bronca podría haber alguna otra emoción. Me animaría a pensar que no es ante la bronca que te desmotivas. ¿Qué opinás?

G. Es cierto. Gran parte del tiempo estoy resentido... y triste.

C. Ahora entiendo un poco más y te agradezco. Entonces, ¿qué vas a hacer con esto? Tenés varias opciones. Podés ir y «vomitarle» tu enojo. ¿Las consecuencias? ¡No te las recomiendo! Podés retirarte de su oficina y seguir «masticando y tragando» decepción. ¿Consecuencias? Las tenés a la vista, ¡en vos mismo!; desgano, desmotivación, irritación, tristeza, principio de úlcera u otra cosa.

G. Pero entonces esto no tiene solución. ¡Haga lo que haga el resultado no será bueno...!

C. Mirá, recuerdo un viejo proverbio que dice: «cuando tengas dos opciones igualmente malas... elige una tercera». Si elegís no vomitar ni tampoco tragar, ¿cómo podrías decir *tu* verdad honorablemente? ¿Cómo decir, sin dañarte, sin dañar al otro y sin dañar la relación ni poner en riesgo tu trabajo?...Volvamos un poco para atrás en nuestro razonamiento; ¿cuál es el interés más profundo que hay detrás del «decir tu verdad»?

G. ¡Reconocimiento! Mi objetivo es saber cuánto le importa mi trabajo. Estar nuevamente motivado, entusiasmarme con el nuevo proyecto y... dormir más tranquilo.

C. Bien. Hemos avanzado en algunas cosas. Tu interés ya no pasa por enseñarle cómo debe gerenciar. Entonces, acordarás conmigo que diciéndole que haga un curso de liderazgo, no obtendrás ese reconocimiento como resultado. ¿Cómo transformar tu conversación en productiva? ¿Te parece que simulemos una posible conversación? Quizás encontremos juntos una alternativa mejor.

G. Sabés que no soy muy bueno para eso, a veces me siento ridículo... pero dale, hagámoslo.

C. Bueno *(se incorpora para hacer un role playing)*. En principio yo representaré a tu jefe... Pensemos en esa posible conversación. Dame algunos datos más de cómo respondería él; ¿qué diría yo, desde el rol de tu jefe...?

Comienza aquí el juego de roles en que coach y coacheado simulan y practican. El aprendizaje se va incorporando a través de los señalamientos, las correcciones y las adecuaciones que se van haciendo desde los roles y con la implementación de técnicas tales como el soliloquio, la inversión de roles, el espejo, etc.

Finalizado el *role playing* se dio el siguiente diálogo de cierre:

C. ¿Cómo estás ahora?

G. Mejor. No sé. Asustado, pero más tranquilo. Veo una oportunidad.

C. ¿Algo más que necesites aclarar al respecto? ¿Alguna duda?

G. Supongo que muchas, pero por hoy estoy bien. Veo las cosas de un modo diferente.

C. ¿Y qué harás?

G. Respirar, tomar valor y ver si puedo hacer algo diferente a lo de siempre.

C. Bien. Me alegro. Confío en vos y te deseo mucho éxito. No puedo garantizarte que lo tengas, pero seguramente te sentirás mejor con vos mismo. En paz. Es todo un desafío y los desafíos le hacen muy bien al alma. ¿La próxima me contás?

Dos semanas después, Guillermo y el coach vuelven a encontrarse. Claudio, muy interesado, indaga por lo acontecido. (Una de las posibilidades era que el coacheado no hubiese hecho nada.) Gratamente sorprendido, escucha el relato de Guillermo acerca de la conversación con su jefe, que fue más o menos en estos términos:

G. ¡Hola Mario! ¿Sabés?, me gustaría tener una charla con vos. ¿Tenés algún momento disponible?

Jefe. ¿Pasa algo?...

G. Sí y no. Hay algo que quisiera conversar con vos...

J. Me estoy yendo a una reunión, pero tengo 10 minutos. Si querés...

G. No, mirá... prefiero no hacerlo a los apurones. Sé que estás muy ocupado pero me gustaría disponer de cierto tiempo. Para mí es muy importante, aunque no urgente. Prefiero que agendemos un encuentro en cualquier momento que puedas. En serio, puedo esperar.

J. (Hablando por el intercomunicador con su asistente.) Andrea, ¿cómo viene mi agenda para mañana?... ¿Recién a las 10? Por favor, bloqueeme agenda hasta las 10. Bien, gracias. *(Dirigiéndose a Guillermo.)* ¿Mañana a las 9 está bien? OK. Nos vemos aquí.

Guillermo cuenta esta parte de la conversación con orgullo, al haber podido responder con efectividad que prefería esperar a otro momento, ya que sólo diez minutos no hubiesen posibilitado una adecuada conversación.

Al día siguiente:

J. Ayer me quedé un tanto preocupado. Te escucho.

G. Hace tiempo que pensaba en esta conversación y te confieso que no me resulta fácil. No hace mucho que estás en esta función y yo estaba muy acostumbrado al estilo del jefe anterior.

J. Hacelo como puedas. Si hay algo que no entienda, te pregunto.

G. El tema es el siguiente: a mi entender hago mi tarea con absoluta responsabilidad; el equipo está alineado con los objetivos de la gerencia y la compañía; me siento competente y con solvencia en mi posición, los resultados que obtuvimos superaron expectativas y las proyecciones son excelentes.

J. Sí, lo sé.

G. Lo que pasa es que aún con todo eso, no me siento reconocido en mi gestión y me gustaría...

J. (Lo interrumpe.) Disculpame, quiero chequear algo; ¿cobraste ya tu sueldo?

G. Sí.

J. Y... ¿nada más?

G. No. También un bonus.

J. ¿Entonces?, no entiendo. Sabés mejor que yo que la cultura de la compañía es premiar con un plus como reconocimiento. ¿Te pareció poco? ¿No estás de acuerdo?

G. (Confundido.) No. Tenés razón, y me vino muy bien ya que pienso cambiar el auto. Me estoy sintiendo un poco tonto ahora y te pido disculpas. Pero, ¿sabés qué? Estoy agradecido por ello y sin duda la plata es importante, pero hay otras cosas que para mí también son importantes... Me importa tener feedback y conocer tu opinión acerca de mi trabajo. Saber de tu respaldo y confianza me motiva mucho más. Me da más fuerza para la tarea. En concreto, tengo un pedido para hacerte, y es que cada tanto me hagas saber tus opiniones. ¿Podrá ser posible?

J. Sabés que no es mi estilo, es cierto. Pero, entiendo lo que decís y debo reconocer que quizás, equivocadamente, nunca pensé en ello... No puedo prometer que lo vaya a hacer siempre, pero estaré muy atento a tu pedido en el futuro. ¿OK?

G. OK. Gracias.

Nuevamente Claudio y Guillermo cerrando:

C. ¡Me alegra escucharte! Estoy gratamente sorprendido. Ahora, habiendo ya pasado esa situación querría preguntarte algo: ¿qué aprendiste con todo esto?

G. De todo. Aunque también algunas cosas que no me gustan mucho. Primero, que debo seguir aprendiendo y que mi jefe *(se sonríe)* también debe seguir aprendiendo. Otra, es no suponer que me las sé todas; ser más humilde y menos arrogante. Además, a no juzgar sin fundamentos y escuchar más las verdades del otro. Luego revisar yo mismo mi forma de liderar; algo muy importante es aprender a pedir. Pero por sobre todas las cosas, sigo maravillándome del enorme poder del lenguaje. Gracias. Te agradezco mucho.

C. A vos.

Sugerencia para el lector: a modo de ejercicio, lo invito a releer el caso desarrollado intentando relacionar los aprendizajes hasta el momento. Ir reconociendo las diferentes etapas del coaching, los pasos, el decurso de la conversación, las herramientas conversacionales empleadas y cómo se implementaron. Inclusive aceptar el desafío de preguntarse qué otra vía de intervención podría haberse implementado y por qué. De corazón, le deseo éxito.

Capítulo VI
Elocuencia del cuerpo. El lenguaje corporal

Han pasado ya casi 30 años y aún recuerdo emocionado la siguiente escena:

> *Yo, saliendo de casa para ir a la oficina, digo a viva voz: «¡Este cuerpo se retira!».*
> *Diego, mi hijo mayor, espontáneamente y dándome un beso dice: «¡Este cuerpo te saluda!».*
> *Fernando, el menor, arrojándose a mi cuello agrega: «¡Y este cuerpo te da un beso!».*

Me veo esperando el ascensor, sonriendo al darme cuenta de la escena vivida y reflexionando; algo que *somos*, que está permanentemente con/entre nosotros, aún es necesario nombrarlo para percibirlo.

Un poco de historia personal. El coaching entró en mi vida, a formar parte de mi práctica profesional, a inicios de la década del noventa. Pero hace casi tres décadas que desde mi práctica y ejercicio como psicoterapeuta tuve la suerte de tener maestros que me ayudaron a incluir la mirada sobre lo corporal, sobre todo a partir de lo psicodramático. Años después, con mi ingreso al mundo de las empresas, accedí también a las personas, al mundo y al «cuerpo» de las organizaciones. Allí comprendí al coaching como una extraordinaria herramienta-proceso de aprendizaje, que sin ser psicoterapéutico, posibilitaba la expansión de posibilidades de acción. En el aprendizaje, investigación y aplicación del coaching, incorporé y adapté en una síntesis integradora el aporte de otras disciplinas y técnicas: psicodrama, cuentos, juegos, actividades expresivas y, por supuesto, diferentes concepciones acerca de lo corporal.

Vale esta introducción aclaratoria, porque muchas de mis afirmaciones y ejemplos de este capítulo, se gestaron desde el campo psicoterapéutico y luego vertieron, adaptadas, sobre el campo del coaching. Que el coach sea además psicoterapeuta, es un enorme valor agregado que posibilita hacer distinciones enriquecedoras, pero es de destacar que –a fin de honrar y respetar cada una de estas prácticas– cada una tiene su propio espacio de acción, su teoría, su práctica, su ética.

Entonces, en un escrito del pasado,[1] yo decía: «El cuerpo tiene memoria. Trabajando sobre el mismo puedo acceder a lo inconsciente grabado en él, llegando a destrabar corazas y rigideces que influyen y condicionan el accionar y la personalidad del sujeto. Operando sobre el cuerpo, puedo movilizar asociaciones y éstas, a su vez, pueden destrabar en un movimiento dialéctico. Puedo leer el cuerpo del otro (hoy diría puedo escuchar, puedo interpretar) y puedo leer mi propio cuerpo; casi como en una comunicación de inconsciente a inconsciente, puedo leer mi propio cuerpo desde el cuerpo del otro y puedo leer el cuerpo del otro desde el mío.

«En una sesión con Gabriel, lo observaba respirar dándome cuenta de que por momentos su pecho se inflaba y que en otros –largos instantes- permanecía como en letargo. Yo también estaba sintiendo *en* mi cuerpo, *con* mi cuerpo. Necesité acentuar mi respiración e internamente esbocé una hipótesis: Gabriel vive como respira; parece mitad vivo y mitad muerto. Chequeando, le transmití esta sensación (incluí lo que *nos* estaba pasando en ese cuerpo con cuerpo) y él, asombrado, afirmó que en *ese* momento estaba pensando en la muerte y en su asma infantil pero que no sabía cómo formularlo. Esto posibilitó un trabajo posterior (psicodramático) en la que enfrentamos a sus partes (mitades) vivas y muertas, fuertes y débiles.

«Por qué esperar a que en tiempo más, me diga con el verbo lo que *ya* me está diciendo con el gesto? Se trata de no cosificar al otro,

1. LeonardoWolk, «Cuerpo-mente, una concepción integradora», *Revista Argentina de Psicodrama y técnicas grupales*, SAP, N° 1, Buenos Aires, 1986.

no tomarlo como un objeto, sino verlo como una totalidad e incluirme yo mismo en ese proceso de a dos (o de muchos). Yo también siento cosas. Mi cuerpo registra, decodifica, comprende, expresa, participa.»

Hoy, en mis escritos de un presente con aprendizajes, actualizaciones y adaptaciones, afirmo: pensamiento, reflexión, palabra, son los instrumentos básicos de teorías, métodos y concepciones desarrollados en culturas que, como la nuestra, lamentablemente aún acentúan de múltiples maneras lo lógico, lo discursivo y la cosificación de las relaciones interpersonales. Quiero ser claro; no se trata de despreciar la palabra, el lenguaje verbal; hace a la esencia del ser humano. Digo que hay otros lenguajes que actualizan, enriquecen y vivifican la comunicación y la interrelación. Digo que el cuerpo también es palabra. Parafraseando a Blaise Pascal, podríamos decir que el cuerpo tiene razones que la razón desconoce. El cuerpo tiene su lenguaje y también el cuerpo es predisposición para la acción. Se trata, en fin, de actualizar y enriquecer la teoría y práctica del coaching con el aporte proveniente de otras vertientes.

Ya hablamos de la importancia del lenguaje. Dijimos que los seres humanos son seres lingüísticos, que el lenguaje es generativo (generamos distinciones, mundos de sentidos, realidades) y que, a través de él, coordinamos acciones. Pero pecaríamos de reduccionismo si no reconociéramos al humano también como un ser corporal, emocional, energético, espiritual. Desde un punto de vista sistémico podemos afirmar que el ser es uno, y que todos éstos son aspectos desde los cuales se expresa. Hay un lenguaje verbal, otro corporal y también un lenguaje emocional.

Toda acción y/o interacción genera dinámicas fisiológicas. La capacidad de acción depende no sólo de nuestras reflexiones, procesos mentales o del raciocinio; requiere también de una disposición corporal, energética y emocional.

Hablamos mucho de la escucha efectiva. En ese sentido agregamos ahora que también tenemos necesidades orgánicas que deberíamos aprender a escuchar. Lamentablemente, muchas veces hacemos oídos sordos, postergando o desconociendo el lenguaje corporal, en el que también se imprimen registros emocionales. Hay sensaciones corporales que se corresponden con estímulos emocionales. Ante una determinada situación, por ejemplo enfrentamiento con un otro, se generará no sólo una dinámica fisiológica expresada con aumento de pulsaciones y ritmo respiratorio, tensión muscular, etc., sino que además, la emoción emergente –quizás miedo– quedará impresa en un cuerpo que la almacena. Esa «impresión emocional» contendrá entonces un recuerdo ligado a la misma. ¿Qué quiero decir con esto? Que el cuerpo tiene memoria. Una memoria a la que podemos acceder no sólo a través de la palabra hablada, sino también a través del lenguaje corporal.

Desde mi experiencia afirmo que es evidente, maravilloso e increíble como a partir de algo postural o gestual, o de un trabajo expresivo, o a través del masaje, o de la movilización y energetización de determinadas zonas corporales, surgen recuerdos, imágenes, asociaciones, vinculadas directa o indirectamente a las mismas.

Así como en la terapia, también en el coaching la corporalidad está siempre presente. El cuerpo del coach –no sólo el del coachee– está incluido y comprometido en el proceso. Como expresara en el ejemplo de Gabriel, también el cuerpo del coach es un cuerpo presente. Debe saber y poder escuchar, y debe saber y poder hablar y ser escuchado. *Entre* ambos se establece un campo en el que resonamos y consonamos mutua y conjuntamente. Los cuerpos se incluyen e involucran no sólo desde el movimiento, sino también desde la sensación, las imágenes, la intuición. El discurso, la narrativa del coachee, resuena también en el cuerpo del coach.

Nuestros cuerpos constituyen un contexto (también con-texto) consonante, vivenciado, no hablado, sin palabras pero no por ello mudo, sino con un código particular, cifrado en un vínculo y en una trama histórica que le da un vocabulario específico, donde la palabra hablada –fonema– tiene un lugar específico, valorado, cumpliendo además una función integradora. Hay palabras fonemas y hay palabras gestos. Hay «silencios» verbales profundamente expresivos (silencio elaborativo, depresivo, resistencial, etc.) y hay «silencios corporales» (rigideces, corazas) en los que hay que aprender a indagar, porque también dicen. El inconsciente, nuestra historia, la vida, se graba no sólo psíquicamente; también hay inconsciente e historia en la corporalidad que se expresa a través de la palabra y del silencio, del gesto y del no-gesto, del movimiento y de la inmovilidad, de la coraza, la contractura, etc. La palabra es cuerpo; el cuerpo es palabra y es además un significante que puede ser significado por la palabra. En coaching no sólo es importante sino que a menudo es imprescindible trabajar con la corporalidad. La acción y el lenguaje están muy condicionados por la corporalidad (también la emocionalidad). Hay una corporalidad de la depresión, del miedo, de la alegría, etc. Esa particular emoción, y desde el cuerpo que la acompaña, condicionan el accionar, y condicionarán también la respuesta que damos frente a las circunstancias de la vida. Por ejemplo, si alguien se siente deprimido, es muy probable que sus hombros se encorven, sus brazos caigan, su pecho se cierre. Desde allí, habrá una acción casi nula, o se proyectará cargada de infelicidad. De la misma manera se verá diferente la corporalidad y la acción de un equipo si está o no motivado o entusiasmado con un proyecto.

También el cuerpo es la historia de esa pieza artesanal que es cada coachee (o cada paciente). Cuerpo que es parte estructurada y estructurante de esa unidad que es el ser humano. Cuerpo no sólo como vía de acceso a la palabra, sino palabra y cuerpo como reveladores de lo imaginario.

Aproximaciones para una lectura del lenguaje corporal

En los años 80 siendo ya psicoterapeuta, comencé mi formación como Instructor en Técnicas Corporales. Tuve el privilegio de contar con maestros como Susana Milderman, María Adela Palcos, Susana Estela, Hugo Ardiles, Theda Basso, quienes tuvieron la enorme paciencia de lidiar con un «cientificista», como el que yo era en ese entonces, y transmitirme su sabiduría.

Fue un primer encuentro con Theda el que me asombró. Me recuerdo parado frente a ella quien, sin decir palabra, giraba a mi alrededor observándome. Yo –que estaba atravesando una crisis personal– le contaba que me sentía bloqueado, que no podía expresar mi dolor. Al rato nos sentamos, y como si hubiera adivinado, empezó a relatarme mi historia. No era adivinación, sino que había podido leer en mi cuerpo las señales de una vida. Yo, maravillado, descubrí que había un lenguaje corporal que se podía descifrar. Después de conversar un tiempo, pidió que me acostara en el piso y apoyó sus manos en mi pecho pidiéndome que acompañara con una determinada respiración. Fue mágico. Instantes después mi corazón se abrió en un llanto que aún hoy recuerdo maravilloso. Fue como una ceremonia de sanación con la que comencé mi propio aprendizaje.

De ese camino que aún recorro, y de las enseñanzas que tuve de todos ellos, son las siguientes –breves y esquemáticas– aproximaciones al lenguaje corporal.[2]

La persona es una unidad y también un sistema. La acción o el cambio en una de sus partes afecta al todo en su conjunto.

Según el yoga tradicional los seres humanos tenemos siete cuerpos que se interpenetran e interrelacionan, constituyendo la unidad de la que hablamos. A saber: cuerpo orgánico, energético, emocional, afectivo, intelectual, mental y espiritual.

Asimismo, tenemos diferentes niveles de expresión: los órganos, los centros de energía, la vida emocional, los afectos, el intelecto, la mente y el espíritu.

Dijimos que el ser humano es un ser energético que constantemente toma, da y transforma energía, inmerso también en un universo energético. Las personas se manifiestan a través de una plástica. Ésta es una actitud, un modo de estar y de relacionarse, plasmado en un cuerpo, que implica un modo de respirar, de percibir, de sentir, de responder, etc. Esta plástica (hay una enorme cantidad de plásticas posibles), que tiene trabas y corazas, puede observarse. Es como un lenguaje que puede leerse en su expresión.

---

2. Algunos conceptos han sido tomados de Hugo Ardiles, *La energía en mi cuerpo*, Grupo Editorial Agedit, Buenos Aires, 1989.

Los encargados de organizar funcionalmente la energía son los llamados *centros de energía*. Distribuidos y ubicados en diferentes zonas del cuerpo, están íntimamente relacionados y en acción conjunta y simultánea. Según la persona y el momento, hay preponderancia de uno sobre los otros y a veces se interfieren. Por ejemplo, este cientificista que escribe, quien aún tiene mucho que aprender, reconoce que el centro intelectual, de excesivo apasionamiento con las ideas, muchas veces interfiere impidiendo la expresión abierta de otros centros.

LOS SIETE CENTROS DE ENERGÍA

1. *Centro bajo*: está relacionado con el centro de la Tierra, la fuerza de gravedad que nos tira hacia abajo y a la que nos oponemos «sosteniéndonos con nuestras piernas». Las piernas son el representante físico de este centro. Representa en el cuerpo la generación de la energía que produce y mantiene la vida, como si ellas se prolongaran en raíces que nos afirman sobre la Tierra. Son la expresión de nuestra fuerza con la que nos paramos y vivimos, y de la energía que poseemos frente al mundo. Podríamos decir que caminamos acorde a como estamos insertos en el mundo.

2. *Centro lumbo-sacro*: comprende la columna lumbo-sacra, caderas, pelvis y el arco del pie. Ligado a la sexualidad, aunque en yoga se le atribuye la función de distribución de todas las energías del cuerpo (en términos futbolísticos sería el jugador que se ubica en la cancha como N° 5) y en particular la sexual. Como le escuché decir a Hugo Ardiles, no existe represión sexual, sí existe represión de la energía (relacionado con una cultura represora y antepasados reprimidos). La retención de energía en una zona es una defensa ante situaciones temidas, que queda guardada en la musculatura de nuestro cuerpo como memoria e historia de nuestra vida.

3. *Centro medio*: comprende la parte superior del abdomen y la columna dorsal. Muy vinculado con el cuerpo emocional. Por su ubi-

cación, es un centro relacionado con órganos (estómago, hígado, pancreas, colon) muy influidos por el psiquismo y/o la vida emocional. En el centro medio dominan las emociones sobre los afectos. Estamos más centrados en nuestras necesidades. Lo más importante soy *yo*. No ocurre lo mismo con el centro cardíaco donde lo que importa es el otro como alguien diferente e independiente de mí. Al mismo tiempo me reconozco yo mismo como diferente e independiente

4. *Centro cardíaco*: es el centro de la vida afectiva. Es la zona por la que expresamos amor. Corresponde al tórax, la columna dorsal alta y su prolongación por los brazos y palma de las manos. Simbólicamente, podría representarse con la imagen de Jesús y sus brazos abiertos o una madre extendiéndolos en busca del hijo para abrazarlo. Pero no se refiere sólo al amor, sino a cualquier tipo de relación que se tenga con los demás. Al decir vida afectiva nos referimos a vida de relación, con los demás, con el mundo. Como seres libres, independientes elegimos reunirnos generando el Encuentro.

5. *Centro laríngeo*: es el representante físico de la vida intelectual. Comprende cuello, cara, orejas, ojos (hasta las cejas), hombros y dedos (en el centro cardíaco hablamos sólo de palmas). Como se podrá apreciar, abarca los órganos de los sentidos que son a su vez medios de comunicación y expresión. En este centro están las puertas de entrada para el aprendizaje y los instrumentos para la técnica. Es un instrumento para conocer el mundo, aprender y comunicar, pero también es un centro de control. En este sentido es interesante que su ubicación corporal sea entre el centro del amor o afectivo y el centro frontal o de la mente superior (inteligencia). Es como una llave de paso que abriendo o cerrando controla y filtra las energías que vienen de los cuatro centros de abajo (instintos, emociones, afectos) para que no interfieran con las energías que vienen de los superiores (pensamiento, intuición).

6. *Centro frontal*: corporalmente se relaciona con la base del cráneo, tronco cerebral y cerebelo. Su función es dirigir a los demás centros, pero no ya controlando como el laríngeo, sino coordinando las acciones para dejar que cada uno haga lo que mejor sabe hacer. Es como un observador que tiene una panorámica de la situación,

marcando la oportunidad para cada función. (Es interesante destacar que la hipófisis –ubicada en este centro– es la directora de todas las demás glándulas del cuerpo.) La función de este centro es la creación mental y la dirección voluntaria de la energía.

7. *Centro coronario*: ubicado en la parte superior de la cabeza, como una ventana en la coronilla, tiene relación con la vida espiritual, nivel al que pertenecen las manifestaciones más superiores del ser.

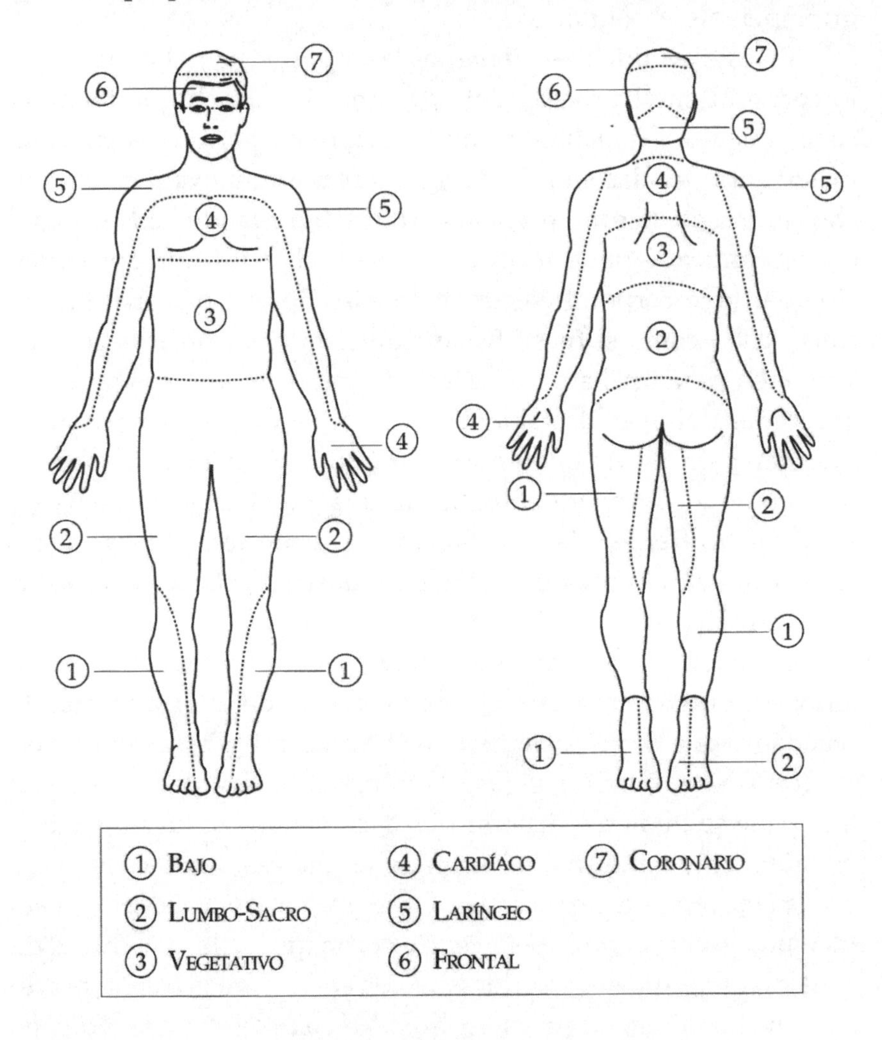

FIGURA 6
Los siete centros de energía

Coaching y el dominio de lo corporal

En algún otro lugar de este texto yo decía que los aprendizajes y el desarrollo de competencias y habilidades permiten hacer distinciones. Un médico podrá observar en mi organismo aspectos que yo desconozco, así como un mecánico podrá hacer distinciones en el motor de mi auto, cuestión para la que me declaro un incompetente absoluto.

En este sentido mencionamos la importancia del dominio de lo corporal en el proceso del coaching. Un coach que tenga el conocimiento y la habilidad de la lectura corporal verá enormemente enriquecidas su mirada y su tarea. En mi experiencia muchos procesos dieron un vuelco formidable cuando –con un adecuado contexto– pude tener con mis coacheados una aproximación desde lo corporal. Recuerdo el caso de una persona que sacaba pecho como si fuese físico-culturista (centro cardíaco); del abdomen para arriba parecía inflado, pero sus piernas parecían separadas del piso. Bastaba observar su modo de estar parado o caminar para intuir una enorme fragilidad. Avanzaba sobre el piso como si estuviera colgado de una percha. Nos enseñan a sacar pecho frente a la adversidad, a ser fuertes. Muchas veces esto conlleva el costo de acorazar nuestro corazón o no estar bien enraizados.

También he visto gerentes con tensiones en el cuello (centro laríngeo) que no eran más que la expresión de estar aguantando realidades que no los satisfacían; o personas con piernas muy fuertes (centro bajo) pero rígidas. Al faltarles flexibilidad, la rigidez hacía que se pudieran quebrar más facilmente y la fuerza resultaba inútil. Hay también quienes padecen úlceras, como consecuencia de emociones no expresadas alojadas en el centro medio, mientras otros trabajan mucho su centro coronario; se los ve muy espirituales, pero cometen enormes errores en sus tareas o en lo práctico, al no comprender que el ser humano es una totalidad y que no basta la conexión con los cielos, si la misma no se asienta con cimientos en la Tierra.

Entiendo que toda actividad corporal, expresiva, creativa, puede ser terapéutica. Muy simple y esquemáticamente, por ejemplo ir al club, jugar tenis, nos pueden hacer sentir bien. Así planteadas, estas tareas se realizan dentro de un contexto y con objetivos determinados. Son útiles, nos dan placer, vigor, nos permiten «descargar». De igual manera operan algunas clases de gimnasia expresiva. Pero sin un trabajo de concientización sólo sirven para generar un círculo de «largar la cotidianeidad y realimentar la cotidianeidad».

Así, puedo sugerir a un coachee que tome clases de gimnasia o arte marcial porque le hará bien (es valioso en un contexto y con un objetivo determinado, aunque no concientice lo emocional, lo espiritual). Pero también puedo incluir el trabajo corporal dentro del encuadre y contexto del coaching y con otro objetivo. El objetivo de colaborar en el darse cuenta de su cuerpo, de concientizar lo estructurado en él, de percibir cómo las emociones y experiencias que forman su personalidad, afectan también a la formación y estructuración de músculos y tejidos, de ayudarlo a destrabar corazas y que la energía fluya libremente, de abrir llaves que posibiliten el surgimiento de asociaciones, emociones, recuerdos y represiones almacenadas en el cuerpo y que condicionan también el observador que es y su manera particular de enfrentarse al mundo y sus circunstancias.

Desde mi punto de vista se trata no sólo de movilizar, sino de destrabar tomando conciencia, dándole a la tarea un espacio de continencia y elaboración. Es decir, una elaboración posterior de aquello que surge del trabajo corporal.

Vale como ejemplo el siguiente relato de un fragmento de una sesión de un grupo, que trabajaba con técnicas dramáticas y corporales (ver capítulo sobre coaching y psicodrama).

El grupo comienza con un trabajo de movimiento y expresión con música. Uno de los integrantes coordina y los demás lo seguimos en sus movimientos. Esta coordinación es alternativamente «pasada» de unos a otros. (Es un grupo mixto de ocho personas, 4 hombres y 4 mujeres.)

Curiosamente –después lo señalaría– la coordinación era transmitida solamente entre los hombres. Jorge, uno de los participantes, hace un trabajo expresivo y emotivo que yo siento que tiene que ver con el dolor. Elijo entonces un tema musical triste, pidiéndole a Jorge que, además del movimiento, agregue sonidos y/o palabras. Sólo hace gestos mudos. Intenta pero no le sale. Finalmente expresa un sonido gutural muy débil. Es entonces cuando una compañera, Alicia, lanza fuertes alaridos y llora. El resto del grupo se desconcentra pero, en lugar de interrumpir, solicito que los hombres sigan el movimiento de Jorge y las mujeres a Alicia. Se da una aproximación corporal por subgrupos. Jorge empieza a sacar gruñidos; parece una escena de hombres primitivos con un lenguaje pre-verbal. Las mujeres, arrullando, como una canción de cuna. A Rita, que se había quedado con el grupo de hombres, la separé de allí, pero no se unió con las mujeres. Se quedó sola, siguiendo desde afuera los movimientos de Jorge.

Poco a poco se va terminando el trabajo naturalmente, y nos volvemos a juntar todos para pasar a un trabajo de comentarios y posterior elaboración verbal y/o psicodramática.

Entre muchas otras cosas surgieron las siguientes elaboraciones:

Alicia –casi como en un doblaje psicodramático– actuó la emoción que Jorge no podía. Puso el dolor en sonidos (lo que posibilitó que también Jorge pudiera hacerlo más tarde). Lo asoció luego a la hemiplejia del padre, ya que los gestos de él eran iguales a los de su padre hasta que recuperó el habla.

Rita, que manifiestamente decía que se había quedado con los hombres porque se conectaba más con esa emoción que con la expresada por las mujeres, luego tomó conciencia de que su reacción responde a una vieja actitud defensiva que le pertenece: tapar el dolor (grupo de mujeres) con la fuerza (lo que expresaban los hombres).

Con Jorge elaboramos psicodramáticamente escenas infantiles y adolescentes que tenían que ver con un problema de prognación por el que fue operado de la mandíbula.

Además de otras elaboraciones, esta sesión posibilitó en otro momento trabajar sobre lo masculino y lo femenino; el aspecto femenino en los hombres y viceversa.

Antes decía que a veces –la mayor parte– se requiere la interpretación, otras no. Y en este aspecto, la palabra ocupa un lugar de privilegio.

Al respecto recuerdo en este momento una experiencia personal: fui a mi grupo de aprendizaje de trabajo corporal, desganado y preocupado por una tarea (escrita) que no me salía como deseaba y en la que no podía poner la libido suficiente. En esa clase nos centramos particularmente en un trabajo a partir del coxis (centro bajo y lumbo–sacro) y de la boca (centro laríngeo). De pronto, casi sin querer, éramos todos animales. Animales –cada uno de nosotros se identificaba con uno diferente– en su medio, comiendo, peleando, descansando, etc. Surgieron monos, águilas y otros. Yo era un toro; no cualquiera sino un toro de lidia y además estaba herido; no peleaba con quienes me enfrentaban porque sentía que ésa no era mi pelea; además, estaba herido, cansado. Pude darme cuenta, casi sin necesidad de una elaboración posterior, que esa identificación tenía que ver con una circunstancia vital personal que estaba atravesando en ese momento; que (además de ser astrológicamente de Tauro y de que mi madre se llama Lidia) yo estaba triste y herido; que necesitaba un tiempo para restañar mis heridas para volver a pelear y poner energía en otros intereses (escribir, por ejemplo).

Así como en algunas dramatizaciones (elaborativas) la escena es lo bastante elocuente como para hacer innecesario interpretar verbalmente; en este ejemplo, partiendo de un trabajo corporal, tampoco fue necesario hacerlo.

No siempre es así. Tanto en sesiones individuales o grupales muchas veces ocurre que sólo se trabaja verbalmente; en otras, la palabra se hace necesaria e imprescindible en la conceptualización de lo movilizado por otros medios (escenas psicodramáticas, trabajo con máscaras, con pinturas, etc.).

Capítulo VII
El lenguaje de las emociones

«Los seres humanos en un sentido estricto
surgimos del amor...
dependemos del amor y nos enfermamos
cuando éste nos es negado en cualquier momento de la vida»

Humberto Maturana[1]

Estudios sobre las culturas «primitivas» dan fe de que cuando una persona se sentía aquejada por algún dolor concurría ante la presencia del brujo, chamán o hechicero (quizás una antigua versión del contemporáneo coach). Entre las primeras preguntas, éste indagaba al consultante diciendo: «¿quién no te quiso hoy?».

Cierto día uno de mis hijos, siendo niño, tenía dolores estomacales. Le conté que los indios curaban los dolores frotando las manos y apoyándolas luego en la parte que dolía. Aceptó mi invitación a intentarlo y así lo hice, comprobando «milagrosamente» que eso mitigaba su padecer. No sé si lo que le conté en esa oportunidad lo inventé o si realmente lo había leído; lo que sí sé con certeza es que lo hice con un profundo amor hacia él.

En coincidencia con esta anécdota, la antropología nos dice que el poder del hechicero no estaba tanto en poder efectuar «brujerías», sino en la creencia que en él tenían los miembros de su

1. Introducción a *El Cáliz y la Espada*, de Riane Eisler, Editorial Cuatro vientos, Santiago de Chile, 1990, p. xv.

comunidad. El poder del coaching se asienta también en el vínculo. Lo que guía el coaching no es sólo teoría y técnica, sino también la relación. Coaching es un proceso basado en el amor, como el sustrato en el que se asientan las otras múltiples emociones.

Si hasta aquí hemos hablado del lenguaje verbal y asimismo del cuerpo como lenguaje, enfocaremos ahora las emociones, también como un lenguaje que hay que aprender a escuchar o como señales que hay que aprender a interpretar.

«Nuestros sentimientos son un sexto sentido, el sentido que interpreta, ordena, dirige y resume los otros cinco. Los sentimientos nos dicen si lo que experimentamos es amenazador, doloroso, lamentable, triste o regocijante... Conforman todo un lenguaje propio.»[2]

Hay una emoción que tiene que ver con la relación y la interacción con el coach. Generar el contexto para la expresión emocional es tarea del coach y sobre ella se asentará también la confianza. Me atrevería a expresar que el éxito de algunos coachings se asienta muchas veces en la emocionalidad del vínculo coach-coachee. A la sesión de coaching la persona viene acompañada por sus emociones, y hacer coaching implica atreverse a un lugar de exposición. En nuestra cultura fuimos educados durante mucho tiempo a no mostrar las emociones. Hacerlo era entendido como debilidad y quedar expuesto a la mirada o la crítica del otro, con el riesgo de perder la valoración, el respeto o el amor de ese otro. De allí la importancia del contexto de confianza.

Las emociones constituyen un dominio siempre presente en toda acción humana. El quiebre del coacheado y la brecha a acortar están atravesados por emociones. Las situaciones relatadas por el coachee y que para él se constituyen en problemáticas, son situaciones emocionales, y su resolución implicará incluir la emocionalidad. Algunas emociones aparecen muy manifiestas y otras son más latentes. Muchas veces la emoción es claramente reconocible y en otras aparece negada, o manifestándose como sensación. En muchas opor-

---

2. David Viscott, *El lenguaje de los sentimientos*, Emecé Editores, Buenos Aires, 1997, p. 11.

tunidades un coaching suele iniciarse a partir de una emoción. El coacheado siente que algo le pasa, tiene alguna ligera idea que no puede precisar con claridad ni vincularla con un tema determinado, pero la emocionalidad que lo embarga es muy definida. (Varias veces comencé un coaching donde el coachee declaraba: «No sé qué me pasa, pero me siento...».) Esa emoción es entonces la vía de acceso a una –a veces ardua, pero siempre apasionante– exploración que nos guiará a una posterior comprensión e interpretación.

Ocurre también que hay emociones encubridoras de otras: por ejemplo, la tristeza encubriendo el enojo o viceversa. Esa emoción es importante porque tendrá que ver con la interpretación que se haga de la situación.

En el caso de coaching que desarrollamos anteriormente era muy manifiesto el enojo, desde el punto de observación en el cual se situaba el coachee. Avanzando en el proceso, pudo darse cuenta de que esta emoción en realidad encubría también la enorme tristeza que lo embargaba.

¿Por qué dos o más personas pueden sentir de maneras diferentes frente a una misma situación? Porque vivimos en mundos interpretativos y de acuerdo con el sentido que le demos a una situación, tendremos una emoción resultante. La cuestión no queda allí, sino que entramos en un círculo vicioso en el que esa emoción resultante contaminará nuestra manera de ser y estar en el mundo. Operará como un filtro sobre nuestra mirada del mundo y teñirá de esa emoción nuestra observación y también las acciones que de ella se deriven en consecuencia. La emoción determina la interpretación y viceversa.

«Los sentimientos son nuestra reacción frente a lo que percibimos y a su vez tiñen y definen nuestra percepción del mundo (...) son la forma en que nos percibimos (...). Son la forma en que sentimos el estar vivos.»[3]

3. David Viscott, *op. cit.*, p. 21.

Consideraciones conceptuales y pautas para la intervención del coach

Hablar de emociones es hablar también de acción.

Humberto Maturana sostiene que las emociones son predisposiciones para la acción y en el prólogo de la obra antes mencionada dice, «yo llamo conversar, aprovechando la etimología latina de esta palabra que significa dar vueltas juntos, al entrelazamiento del lenguajear y el emocionar que ocurre en el vivir humano en el lenguaje».

La emoción está siempre presente (aunque no siempre la escuchamos o reconocemos) y la conversación no es sólo un acontecer lingüístico. Por ello el coach deberá estar atento simultáneamente al lenguaje verbal, corporal y también emocional. El ser que somos es comprendido también como un sistema y desde esta concepción debemos entender que lo que acontezca en cualquiera de estos dominios, afectará también a los otros.

«Dada la coherencia de estos tres dominios, nos cabe esperar que las transformaciones producidas en un determinado dominio, se traduzcan en modificaciones en los demás (...) una modificación emocional puede perfectamente modificar nuestras conversaciones y nuestra postura física.» Sin embargo, «(...) a menudo cambios en uno de los tres dominios no logran conservarse, debido a la presión de coherencia que proviene de los otros dos. Ello obliga a intervenir simultáneamente en los tres para asegurar que las transformaciones producidas en uno de ellos se encuentren con cambios que les sean coherentes en los otros. No basta, por ejemplo, con inducir un cambio en el tipo de conversaciones que una persona tiene, si la emocionalidad en que se halla es coherente con las conversaciones del pasado. De no intervenirse simultáneamente en la emocionalidad, el cambio de las conversaciones corre el peligro de no conservarse y, por lo tanto, de ser efímero.»[4]

4. Rafael Echeverría, *Ontología del lenguaje*, Edic. Dolmen, Santiago de Chile, 1995, p. 254.

Así como no puedo cambiar mi pasado pero puedo diseñar mi futuro, no puedo elegir mi emoción, pero sí podré elegir mi acción. Asumiré responsabilidad ante las situaciones (y emociones) a las cuales la vida me enfrenta. Puedo sentirme enojado con impulsos de agredir al sentirme lastimado, pero puedo elegir una respuesta diferente a aquello que impulsivamente querría hacer. Esa acción –recordemos– también define mi *ser*. En el decir de Goleman se trataría de proporcionar inteligencia a la emoción transformándola en algo productivo. No quedar capturado en ella, sino poder operar con ella abriendo posibilidades de acción efectiva. El proceso de coaching –también con respecto a las emociones– consistirá en que el coachee logre transformarse en un observador diferente.

También aquí se torna relevante la acción del coach. ¿Desde qué lugar escuchará y operará el coach al indagar en el universo emocional? Serán de importancia las siguientes pautas:

1. Reconocer la emoción

Como psicólogo concurrente hospitalario, donde tuve enormes aprendizajes no sólo profesionales sino de vida, aprendí que ponerle nombre a las cosas ayudaba muchísimo a reducir las ansiedad. En la sala de espera era frecuente la presencia de familiares que preguntaban por el estado del paciente. Si el profesional de guardia respondía «no sabemos aún, estamos investigando, etc.», incrementaba el nivel de angustia de los consultantes; si en cambio la respuesta era, «tiene x cosa y le estamos prestando la atención correspondiente», aunque el nombre de «la cosa» les resultara incomprensible, reducía su ansiedad. Había algo que tenía nombre, era reconocible, y se la podía enfrentar, se podía operar ante ella.

Lo mismo acontece frente a las emociones. El coachee relata un suceso o acontecimiento que quiere coachear. A veces ni siquiera trae el evento ocurrido sino que trae una emoción («no sé qué me pasa...»; «me siento...»). En un principio intentamos definir cuál es la emoción, qué siente ante el evento o situación relatada. El coacheado se transforma en observador de su emoción, hasta que pueda ponerle nombre («ante esto siento...»).

El rol del coach será escuchar e indagar respetuosamente ayudando al otro a expresarse, cuidándose (y cuidándolo) de no rotular de manera inmediata. He observado a muchos aspirantes a coach que no pudiendo manejar su propia ansiedad «diagnostican» rápidamente una emoción. Muchas veces esos rótulos están basadas en rapidísimas inferencias, basadas en mínimas evidencias. No está mal hacer inferencias. Lo erróneo sería transformarlas en hechos sin chequearlas con el otro. Por ejemplo, el coach observa que su interlocutor está cabizbajo, de brazos caídos, ensimismado y poco expresivo. Sería un error decirle «te veo deprimido». Esta actitud cerraría la posibilidad de expansión y podría orientar en forma errónea el proceso de coaching. Una intervención más adecuada sería devolverle al coachee las observaciones corporales que ve, como «te veo cabizbajo; a diferencia de otras oportunidades tus comentarios son mínimos, estás como vuelto sobre ti mismo... tengo la impresión de que algo te pasa, o de que algo te preocupara.... ¿es así? ¿querrías conversar acerca de ello?». El coach deberá siempre chequear sus inferencias. Cuanta más competencia desarrolle en el lenguaje emocional y corporal, mayores serán sus habilidades para hacer distinciones. A mayor definición más posibilidades de acción.

2. Aceptar la emoción

No elegimos la emoción. Así como ocurre con la columna izquierda, ésta aparece y ocupa un espacio y energía personal. Esa emoción «aparece» disparada por algún evento o situación ya sea de bienestar (por ejemplo, alegría) o malestar (por ejemplo, tristeza) y ante la cual sentiremos placer o displacer.

Desde el punto de vista del coachee, se trata de aceptar la emoción sin juzgar, sin juicio. Comprender que las personas no elegimos sentir lo que estamos sintiendo. De esa forma evitaremos agregar malestar al sufrimiento; por ejemplo, no sentirme mal por sentirme mal; en un duelo, no sentirme mal por no poder llorar. La pregunta, luego, será: ¿qué voy a hacer con esa emoción? La acción –como responsabilidad– sí es una elección. Tener la tentación de hacer algo es diferente a hacerlo. La tentación «aparece»; hacerlo es una elección.

Desde el rol de coach, insistimos en la consideración conceptual de que esa emoción es particular del tipo de observador que cada persona es. La emoción será la resultante de una interpretación personal del sujeto. En este sentido decimos que las emociones son indiscutibles. Respetar la legitimidad del otro es aceptar y respetar su emoción como legítima, aunque nosotros –desde la escucha– sintamos algo diferente. Se trata de aceptar la emoción del otro sin juzgar o criticar, pero sí –como veremos más adelante– analizar críticamente la opinión. Es aceptar de modo incondicional la emoción, para luego, indagar en las razones, en los pensamientos y opiniones. Parafraseando palabras del Talmud, «no vemos el mundo como es, sino como somos», podríamos decir: «no nos emocionamos como queremos, sino de acuerdo con la interpretación que hacemos». Recordemos que nuestros juicios hablan más de nosotros que del mundo. Son nuestras interpretaciones acerca del mundo.

3. *Indagar e investigar en las razones*

Toda emoción tiene por detrás una historia aparejada. Decíamos antes que «aparece», pero como consecuencia de un evento –interno (una sensación, un recuerdo) o externo (agresión, caricia)– que la dispara. Ya el filósofo Blaise Pascal decía «el corazón tiene razones que la razón desconoce». Contrariando un tanto ese decir, afirmamos que detrás de cada emoción hay una historia. Entre ambas se produce un tipo particular de relación circular. A veces es la historia la que genera un estado emocional, pero también acontece que ese estado genera una historia. Funciona como un filtro que tiñe la mirada que el observador tiene del mundo. También interpretamos el mundo desde la emocionalidad que tenemos. Por ello se torna relevante aceptar de manera incondicional la emoción, pero revisarla críticamente.

Si suponemos que nuestros juicios del mundo corresponden realmente a cómo el mundo es, cerramos posibilidades de producir estados de ánimo diferentes. ¿Qué quiero decir con revisar críticamente? Investigar junto al coachee la validez de sus opiniones, los datos que la fundamentan, sus estándares, distinguir hechos de juicios, cuáles son sus deseos y preocupaciones, etc. Se trata de ayudar al coacheado mediante la indagación, a corregir distorsiones –si las hubiera– y errores interpretativos, así como a apropiarse de sus opiniones. De esta forma se transformará en un observador diferente, abriendo posibilidades de acción y/o generando nuevas respuestas donde antes no las había.

El repertorio de emociones es amplio. A continuación presentaremos un repertorio de emociones básicas, con preguntas que facilitarán la indagación del coach y guiarán la investigación del coachee. Las presentamos a modo de guía ya que no son exhaustivas. El coach sabrá adaptarlas a su modo coloquial personal.

Preguntas guía

Miedo

Por lo general la historia por detrás está asociada con algo malo que podría pasar; algo querido está en riesgo; a perder algo o a alguien valorado; se constituye en una amenaza de cierre de posibilidades.

¿Qué te asusta de esta situación? ¿Qué te da temor?¿Qué podría suceder? ¿Qué cosa o situación valiosa sentís o pensás que está en riesgo? ¿Cuáles son las condiciones que te hacen pensar que es posible que eso suceda? ¿Te ha pasado algo parecido antes? ¿Cómo se resolvió esa situación? ¿Qué consecuencias tuvo? ¿Qué podrías hacer para evitar

que eso temido ocurra? ¿Qué acciones podrías desarrollar para minimizar el impacto si eso ocurriera?

Enojo

La mayoría de las veces la historia aparejada refiere a algo malo que pasó y no debería haber sucedido. Hay un límite o estándar que a criterio del observador fue transgredido. Muchas veces por debajo del enojo encontramos tristeza.

¿Qué pasó? ¿Cuál fue la situación? ¿Qué es lo que te enoja? ¿Qué perjuicio sufriste? ¿Cómo te afectó? ¿Cuál fue el límite quebrado o transgredido? ¿Qué valor, norma o expectativa fue quebrada? ¿Qué evidencias o datos fundamentan tu opinión? ¿Por qué ese valor es importante para ti? ¿Cómo podrías expresar productivamente tu enojo? ¿Qué reparación necesitarías? ¿Qué tendría que ocurrir para recuperar tu estado de paz? ¿Qué acciones podrías asumir responsablemente para lograrlo?

Culpa

Es el enojo consigo mismo. Por lo general la historia por detrás tiene que ver con que uno transgredió sus propios límites o estándares y provocó consecuencias no deseadas. Viene asociada a haber hecho algo malo que no debería haber acontecido. Corporalmente es una emoción muy asociada a lo auditivo; escuchamos el autorreproche o el reproche del otro. La vergüenza, en cambio, esta más asociada a lo visual; quedar expuesto ante la mirada del otro.

¿Cuál fue la situación? ¿Ante qué sientes eso? ¿Qué te remuerde? ¿Qué perjuicio causaste? ¿A quién?¿Qué valor, norma o límite considerás que transgrediste? ¿Por qué ese límite es importante para ti? ¿De dónde viene? ¿Dónde lo aprendiste? ¿Cómo afectó al otro? ¿Qué reparación podrías ofrecer? ¿Hay algo que te impida hacerlo? (A veces esta pregunta cambia la orientación del coaching. Por ejemplo, si el coachee dijera que es el miedo lo que le impide actuar, se trabajará la emoción miedo, para luego, ya limpio ese

campo, seguir profundizando en acciones posibles para trabajar su culpa.) *¿Qué necesitarías que pase para perdonarte? ¿Qué acciones podrías desarrollar en ese sentido?*

Tristeza

Casi siempre la historia por detrás refiere a que algo malo pasó; algo o alguien querido se perdió; una posibilidad se cerró.

¿Qué situación te entristece? ¿Qué sientes que perdiste? ¿Qué posibilidad piensas que se cerró? ¿Qué valor tenía eso para ti? ¿Tienes posibilidades de recuperarlo? ¿Qué deberías hacer si eso fuera posible? ¿Qué te ayudaría a procesar y trascender este estado? ¿Qué te lo impide?

Alegría, entusiasmo, vergüenza, envidia, nostalgia, orgullo, resignación, optimismo, gratitud, son sólo algunas de las otras múltiples emociones o estados emocionales que acontecen en el diario vivir y por lo tanto se registran en situaciones de coaching. Sobre la base de los modelos arriba detallados, es posible construir un conjunto de preguntas guía que colaborarán en la orientación del proceso.

4. Analizar acciones posibles

Una vez atravesadas las instancias anteriores, el coachee y el coach tendrán una mirada ampliada sobre la emoción investigada aun es muy probable que se tenga una comprensión diferente acerca de la misma. El solo hecho de poder hablar de la emoción posibilita una observación distinta, y también posicionarse en un sentimiento diferente. Llegamos a la comprensión más cabal de ser uno quien tiene la emoción, y no ser la emoción quien lo captura y mantiene cautivo a uno. Estamos en condiciones de operar *con* la emoción y no *desde* la emoción.

Etimológicamente, emoción proviene del latín *emovere* o *movere;* implica movimiento, acción, pulsión interna que pugna por salir, por ex-presarse (presionar hacia fuera). La pregunta entonces será «¿qué vas a hacer con esto?», «¿qué posibilidades de acción te vas a dar?», «¿cómo operarás habilidosamente con la emoción?».

En otras palabras: la acción sería la respuesta-salida que le damos a las emociones. Pero estas emociones provienen de nuestra particular manera de observar el mundo y de la interpretación que hacemos de esas percepciones. Operar «con» la emoción, no es «actuarla» (en el sentido de *acting*); tampoco es negarla o manipularla, ni mucho menos dejarla que se exprese impulsivamente. Es reconocer la libertad y la responsabilidad de elegir la forma de actuar y transformar esa acción en productiva.

Recordemos que así como ocurre con la historia y el revisionismo histórico, podemos cambiar la interpretación del pasado, pero no los hechos de ese pasado. Lo que sí podemos es diseñar futuro.

Siguiendo a Daniel Goleman podríamos definir a la *inteligencia emocional* como la capacidad de reconocer nuestras propias emociones, y administrarlas dentro de nosotros y en nuestras relaciones... Es la habilidad para controlar y regular las emociones y usarlas para guiar el pensamiento y la acción.[5]

Entonces, coach y coachee diseñarán posibles acciones hasta el próximo paso.

5. Compromiso de acción

Definida la opción se profundizará en las dificultades, obstáculos y competencias para desarrollarla. El *role-playing* es una excelente herramienta para el diseño.

Recordemos que toda libido no expresada –en cualquiera de sus múltiples formas– queda in-corporada y se hace tóxica. Podríamos decir que la emoción está a la espera de una acción, y requiere ex-presión.

---

5. *La inteligencia emocional*, Javier Vergara Editor, Buenos Aires, 1996.

Si bien en términos (y en contextos) psicológicos o psicoterapéuticos (en los que se opera de otra manera y con otras finalidades) el siguiente concepto no sería totalmente adecuado, sí me resulta muy apropiado en términos del coaching y sus finalidades: «Cuando se experimenta una emoción valida –es decir, basada en opiniones fundadas– se incurre en una 'deuda emocional'. Como escribe David Viscott, para 'saldarla' hace falta un 'pago' en términos de acciones efectivas (...) pero si se rehúsa pagar, relegando la emoción a la inconciencia, la deuda comienza a acumular intereses y si la misma excede cierto nivel, uno cae en la 'quiebra' emocional (...). Cada emoción tiene una demanda específica; al evitar el desafío la emoción se estanca; al resolver saludablemente el desafío, la emoción fluye y posibilita recuperar un estado de paz interior.»[6]

Al asumir responsabilidad ante nuestras emociones, también estamos responsabilizándonos frente al mundo.

Por último quiero agregar dos sugerencias más para la «escucha» del coach en relación con el tema del manejo emocional. Se refieren a «trampas» en las que es posible caer o «distorsiones» que debemos considerar:

a. Ambigüedad de la palabra «sentimiento»

Con frecuencia escucho en mis consultas –tanto de pacientes como coachees– una confusión al hablar del «sentir». Sentir es utilizada de tres maneras: como *sensación* (siento calor), como *pensamiento o reflexión*, donde después del siento... viene generalmente una opinión (siento que no me quiere) y como *emoción* propiamente dicha (siento tristeza).

Como esta confusión es frecuente en el uso coloquial de nuestra cultura muchas son las veces que advierto la distorsión, pero la dejo pasar ya que no «hace» al contenido esencial de la conversa-

6. David Viscott, *Emotional Resilience*, Three Rivers Press, Nueva York, 1996, citado por Fred Kofman en *Metamanagement*, Tomo III, citado, p. 114.

ción, pero en otras oportunidades, cuando considero que es relevante (y en esto es más que importante la escucha activa del coach) lo señalo a mi ocasional interlocutor con una finalidad muy precisa. Por ejemplo, señalarle que lo dicho por él («no me quiere») respecto de otra persona es una opinión, y que es útil investigarla sobre la base de datos/hechos que la fundamenten. A su vez, esos hechos posibilitarán una transformación del observador y por lo tanto de su interpretación. Será muy diferente decir «ante estos hechos, *yo* no me siento querido» que atribuirle al otro una emoción que puede no coincidir con la percepción que tiene. Otra persona, ante las mismas circunstancias, tendría otra opinión o no pondría en tela de juicio el amor del otro. En otras palabras, también aquí estamos hablando de responsabilidad y de la apropiación de los juicios.

b. No al chantaje emocional

También en este caso reitero las aclaraciones previas. Hay conversaciones que hacen al modo de hablar de una cultura y se comprenden dentro de un determinado contexto. Son los llamados *contextos de obviedad*. En otras conversaciones –sobre todo en las de coaching– se torna relevante señalar la distinción cuando el coacheado dice, por ejemplo, «mi jefe me hace sentir... (miedo, enojo, etc.)». Más notable es cuando una persona le dice a otra: «me hacés sentir... (culpable)». Lo adecuado sería decir: «cuando te escucho decir o cuando me hablas de esa manera *siento* ... culpa», o «me enojo, me entristezco, cuando...» ¿Por qué la importancia de señalar esta distinción? Porque se relaciona con la asunción de responsabilidad, de independencia y de poder. Como en el cuento del pájaro y el maestro zen, se trata de ayudar al coacheado a asumir el poder que está en sus manos, no a renunciar o delegar ese poder en otro. Decir no al chantaje emocional, es no hacerse cargo cuando alguien nos atribuye el poder de provocarle una emoción, así como de no otorgarle al otro el poder de provocarnos algo en particular. Estrictamente, el otro hace o dice algo ante lo cual sentimos alguna emoción. Al apropiarnos de la emoción, también nos apropiamos del poder de accionar con ella de manera productiva.

Insisto, la sugerencia es para algunas y muy específicas conversaciones. Si no, corremos el riesgo de amargarnos la existencia con «purismos» inoperantes y de perdernos momentos maravillosamente gratificantes como cuando el otro, con mucha sencillez, reconocimiento y espontaneidad, nos dice: «me haces sentir muy feliz».

Las emociones

Cuentan que una vez se reunieron todos los sentimientos y cualidades del ser humano.
Cuando el aburrimiento había bostezado por tercera vez, la locura, como siempre tan loca, les propuso: ¿vamos a jugar a las escondidas?
La intriga levantó la ceja intrigada y la curiosidad, sin poder contenerse, preguntó:
–¿A las escondidas?...¿y cómo es eso?
–Es un juego –explicó la locura– en el que yo me tapo la cara y comienzo a contar hasta un millón mientras ustedes se esconden y cuando yo haya terminado de contar, el primero de ustedes que yo encuentre ocupará mi lugar para continuar el juego.
El entusiasmo bailó secundado por la euforia, la alegría dio tantos saltos que terminó por convencer a la duda, incluso a la apatía, a la que nunca le interesaba nada.
Pero no todos quisieron participar... La verdad prefirió no esconderse; ¿para qué? Si al final siempre la hallaban, y la soberbia opinó que era un juego muy tonto (en el fondo lo que le molestaba era que la idea no hubiese sido de ella) y la cobardía prefirió no arriesgarse...
–Uno, dos, tres... –comenzó a contar la locura.
La primera en esconderse fue la pereza, que como siempre se dejó caer tras la primera piedra en el camino, la fe subió al cielo y la

envidia se escondió tras la sombra del triunfo, que con su propio esfuerzo había logrado subir a la copa del árbol más alto.
La generosidad casi no alcanzaba a esconderse, cada sitio que hallaba le parecía maravilloso para alguno de sus amigos...
¿Que si un lago cristalino? Ideal para la belleza.
¿Que si la hendidura de un árbol? Perfecto para la timidez.
¿Que si el vuelo de una mariposa? Lo mejor para la voluptuosidad.
¿Que si una ráfaga de viento? Magnífico para la libertad.
Así, la generosidad terminó por ocultarse en un rayito de sol.
El egoísmo, en cambio, encontró un sitio muy bueno desde el principio, ventilado, cómodo... Pero sólo para él.
La mentira se escondió en el fondo de los océanos (mentira, en realidad se escondió detrás del arco iris), y la pasión y el deseo en el centro de los volcanes.
El olvido.... se me olvidó dónde se escondió... pero eso no es lo importante.
Cuando la locura contaba 999.999, el amor aún no había encontrado sitio para esconderse, pues todo se encontraba ocupado... Hasta que divisó un rosal... Y enternecido decidió esconderse en sus flores.
–¡Un millón! – contó la locura y comenzó a buscar.
La primera en aparecer fue la pereza, sólo a tres pasos de una piedra.
Después se escuchó a la fe discutiendo con Dios en el cielo sobre zoología...
A la pasión y el deseo los sintió el vibrar de los volcanes.
En un descuido encontró a la envidia y, claro, pudo deducir dónde estaba el triunfo.
Al egoísmo no tuvo ni que buscarlo. Él solito salió disparado de su escondite que había resultado ser un nido de avispas.
De tanto caminar sintió sed y al acercarse al lago descubrió a la belleza.
Con la duda resultó más fácil todavía, pues la encontró sentada sobre una cerca sin decidir aún de qué lado esconderse.

Así fue encontrando a todos... Al talento entre la hierba fresca, a la angustia en una oscura cueva, a la mentira detrás del arco iris... (mentira, si ella estaba en el fondo del océano) y hasta al olvido... que ya se le había olvidado que estaban jugando a las escondidas.
Pero el amor no aparecía por ningún lado.
La locura buscó detrás de cada árbol, bajo cada arroyuelo del planeta, en la cima de las montañas... y cuando estaba dándose por vencida divisó un rosal y las rosas... Y tomó una horquilla y comenzó a mover las ramas, cuando de pronto se escuchó un doloroso grito.
Las espinas habían herido en los ojos al amor; la locura no sabía qué hacer para disculparse... lloró, rogó, imploró, pidió perdón y, como castigo, hasta prometió ser su lazarillo.
Cuenta la leyenda que desde entonces, desde que por primera vez se jugó a las escondidas en la tierra... el amor es ciego... y la locura siempre lo acompaña.

Capítulo VIII

*Procedimientos y técnicas de acción**

Imaginémonos estar frente a un escenario donde observamos el desarrollo de una acción. Los personajes son un hombre y una mujer que interpretan los roles de un matrimonio. La escena muestra al esposo llegando retrasado al hogar. Esto genera un fuerte enojo en ella, ya que se perderá un evento que le resultaba muy importante. Podría haber ido sola, pero debía o quería concurrir acompañada por él. El conflicto se instala. Aparece el reproche y no sólo el referido a esa circunstancia en particular. Muchos episodios del pasado se hacen presentes... (¡Corten!).

El director interviene en la escena solicitando a cada uno de los personajes que explicite, como en un monólogo interno, qué es lo que están sintiendo en ese momento desde el rol. Ella probablemente dirá que se siente incomprendida, maltratada, dolida y perjudicada. Él se sentirá exigido, argumentando que lo retuvieron en la oficina, que cualquiera puede tener un atraso y quizás sienta culpa. Hecho esto, continúa la acción. Nuevamente el director pide un corte e interviene solicitando una «inversión de roles». La escena se juega nuevamente desde el inicio, pero ahora es el hombre el que juega el rol de esposa y ella el de esposo. Él, desde el rol de esposa enojada, vivenciará la importancia que el evento mencionado tenía para ella. En su monólogo interno (al que llamamos «soliloquio») y en comentarios

* Parte de este capítulo se basa en un artículo de mi autoría, «Estrategias para la administración», publicado en la revista *Alta Gerencia*, Nº 2, Ediciones Interoceánicas, noviembre 1991.

posteriores, tomará conciencia de su individualismo, de su falta de cooperación o consideración, de las consecuencias de sus acciones en otros, etc. (¡Corten!)

No, estimado lector, no se equivocó de libro ni está leyendo la sección espectáculos de alguna publicación. Esto, que parece ser un ensayo teatral, es en realidad el ejemplo de un modo operativo de intervención en coaching, con estrategias de acción. En este caso en el ámbito empresarial. Paso a detallar:

El ejemplo arriba mencionado ocurrió efectivamente, en un coaching bipersonal en una situación laboral y en la acción desarrollada se dramatizaron dos escenas: una que llamaremos «real» y otra que llamaremos «simbólica». (Más adelante describiremos la distinción entre dramatización y psicodramatización.)

La escena «real» ocurrió en el ámbito de una empresa.

Los personajes «reales» fueron el gerente de ventas y la líder de un proyecto publicitario.

El escenario «real» donde ocurrió fue el despacho del gerente.

El conflicto «real» que dio origen a la escena fue la entrega fuera de término de un material que debía ser presentado en reunión de directorio a realizarse en fecha y hora precisa.

La escena «simbólica» ocurre en el espacio «imaginario» del living de la casa del matrimonio.

Los personajes «simbólicos» son una mujer y su esposo.

El conflicto «simbólico» fue el atraso del esposo y la consecuente pérdida del evento.

Pero, ¿dónde se desarrolló esta intervención? En el mismo ámbito laboral, en el lugar donde tenían habitualmente efecto las sesiones de coaching, en un espacio que elegimos para trabajar en intimidad con el personal involucrado (una oficina, un salón o la cocina si fuere necesario).

El coaching no finalizó allí, sino que ése fue un recurso dramático –de acción– que abrió posibilidades a los participantes de observar y observarse desde otro lugar. Ser observadores diferentes, que pasaron a trabajar luego en diseños posibles para corregir, reparar, y/o generar nuevas respuestas, para no repetir actitudes inconducentes y expandir su capacidad de acción efectiva.

El gerente podría haber respondido con legítimo enojo y hasta sancionar a la líder de proyecto. Era una respuesta posible. Dado que era un hecho repetido ante el cual se sentía incompetente para resolver y que la líder era una profesional competente pero con dificultades relacionales, resolvió solicitar un coaching antes de tomar impulsivamente una decisión.

Esa elección, además de intervenir en el conflicto puntual de la relación interpersonal, nos posibilitó detectar y diagnosticar con mayor rapidez y eficacia otros conflictos latentes y consecuencias sistémicas no deseadas para la organización y la tarea en su conjunto. Entre otros:

- «Islas» sectoriales.
- Envidias y rivalidades que ocasionaban «involuntarios» errores y atrasos.
- Falta de cooperación y compromiso entre áreas.
- Inadecuada cultura de comunicación con pedidos, promesas y reclamos inefectivos.
- Alto nivel de estrés, etc.

Cada vez con mayor frecuencia, las empresas y organizaciones recurren a la implementación de nuevos recursos y técnicas para el abordaje de situaciones conflictivas. Las técnicas dramáticas fueron durante mucho tiempo empleadas por el psicodrama casi con exclusividad para el campo de la psicología clínica. En forma sostenida fueron ampliando su campo de acción abarcando en la actualidad ámbitos como el educacional, el jurídico y, por supuesto, el empresarial u organizacional.

En el caso antes detallado trabajamos con una técnica (una, entre muchas otras) denominada «escena simbólica». Se desplazó la escena original a otra simbólica que contiene esencialmente los mismos elementos. En otra situación, la figura del superior en una escena original puede ser simbolizada con la figura de un padre. Su implementación se fundamentó en la necesidad de crear una escena imaginaria que permitiera un mayor compromiso emocional y que posibilitara una más rápida movilización e *insight.**

Si bien lo haremos esquemáticamente (ya que la finalidad de este texto no es desarrollar en profundidad una conceptualización teórica de este tema), es preciso hacer una distinción entre *psicodrama* y *técnicas dramáticas,* siendo estas últimas las que se implementan durante el coaching.

Los procedimientos dramáticos

Drama significa acción. Dramatizar es poner en acción. Jacobo Levy Moreno (1889-1974), creador del psicodrama, lo definió como un *método para sondear a fondo la verdad del alma a través de la acción.* Hoy en día, en un sentido más amplio aunque no estricto, se denomina psicodrama a toda aplicación de la dramatización pero, en un sentido mas riguroso, lo definimos como un procedimiento dramático que se aplica para la comprensión de las conductas humanas, los roles y los vínculos. El psicodrama es un procedimiento psicoterapéutico que utiliza técnicas dramáticas como medio de exploración, comunicación, elaboración, etc. La dramatización es la re-presentación de escenas significativas para el paciente o participante. El protagonista –quien suele proporcionar el argumento– interviene como actor y juega su papel a la manera de un teatro, como si se tratase de un hecho real. No se requiere tener conocimientos de actuación, ya que su finalidad no es estética. Las escenas pueden hacer referencia a situaciones del pasado, presente o futuro.

Los *procedimientos dramáticos* son principalmente: psicodrama, sociodrama, *role playing* y los juegos dramáticos. Se diferencian entre sí por su finalidad y por el rol del coordinador.

* Comprensión, conocimiento, penetración, percepción de la naturaleza interior de una situación.

Los dos primeros –psicodrama y sociodrama– tienen una finalidad psicoterapéutica y el rol del coordinador es analizar e interpretar. El *role playing* tiene una finalidad didáctica para el entrenamiento de roles y el coordinador señala la adecuación o no a un rol específico. Los juegos dramáticos tienen también una finalidad pedagógica; son empleados para el aprendizaje del lenguaje dramático y los juegos dramáticos empresariales que son utilizados para la investigación de acontecimientos personales y vinculares, asociados a una actividad.

Los procedimientos tienen cinco elementos y se desarrollan en tres momentos.

Elementos

- El o los protagonista(s),
- el/los yo-auxiliares,
- el público,
- el escenario y
- el director o coordinador.

Momentos

- Caldeamiento,
- dramatización propiamente dicha y
- el *sharing* (compartir y/o procesar) final.

Las técnicas dramáticas

Las *técnicas dramáticas*, por su parte, son las herramientas y/o recursos de acción que se utilizan en la implementación de los procedimientos o de las dramatizaciones. Constituyen un lenguaje utilizado como medio de comunicación, investigación, exploración, elaboración, etc. Son medios para el abordaje de situaciones, dificultades y problemáticas, que posibilitan una lectura más abarcativa y una más rápida comprensión, intervención y resolución.

Resulta imposible hacer aquí una detallada enumeración de las múltiples técnicas. Entre aquellas más frecuentemente utilizadas podemos mencionar las siguientes:

Dramatización simple

Consiste en la re-presentación de una situación significativa para el protagonista en la que se hace referencia a sucesos del pasado, presente o futuro. Al dramatizar se ponen en juego aspectos que enriquecerán lo verbal.

Soliloquio

Consiste en expresar, en presente y en primera persona, los pensamientos y sentimientos que el resto de los personajes o el público no puede escuchar (algo así como expresar la columna izquierda emocional).

Inversión de roles

Se intercambian papeles con el co-protagonista o el yo-auxiliar. Así, el protagonista puede transformarse en un observador de la situación desde la mirada del otro, así como verse desde la perspectiva del otro. El auxiliar pasa a desempeñar el rol del protagonista adoptando su postura y su texto discursivo.

Doble

El yo-auxiliar hace o dice lo que cree o siente que el protagonista no puede expresar por sí mismo.

Otras

Doblaje, espejo, entrevista, concretización, interpolación de resistencias, dramatización simbólica, entre otras.

LAS TÉCNICAS PSICODRAMÁTICAS EN EL PROCESO DEL COACHING

Durante el coaching, el coach utiliza un *procedimiento* dramático, el *role playing* e implementa diferentes *técnicas* dramáticas. La escena a dramatizar suele ser indicada o sugerida por el coach quien será también el director y muchas veces –sobre todo cuando el coaching es individual– jugará el rol de yo-auxiliar, adoptando los papeles que la escena requiera del co-protagonista. Muchas veces es el coachee con experiencia quien sugiere trabajar una escena, y es posible acceder a su pedido, pero por lo general es el coach quien decide cuándo, por qué y para qué se implementará una determinada estrategia.

Durante una escena es posible la implementación complementaria de diferentes técnicas. Así, de un *soliloquio* podemos pasar a una *concretización* (representar con el propio cuerpo la forma o imagen que tiene una emoción o situación). Ejemplo: si en el soliloquio el protagonista dice que siente culpa, podemos pedirle una concretización de la misma; es decir, que adopte con su cuerpo la forma que tiene esa culpa y luego que le agregue palabras y/o gestos. El coach o auxiliar –en una inversión de roles– adoptará el papel del protagonista e interactuará con la culpa, representada por el coacheado.

El rol del coach es muy específico y nunca debe confundirse con una intervención psicoterapéutica. El coach no interpreta analíticamente para la resolución de conflictos, situaciones traumáticas, patologías, etc. El coaching no es un vínculo de investigación analítica profunda. El coach es un profesional calificado que se aproxima a la tarea mediante el lenguaje –verbal, corporal, emocional– y que, implementando técnicas de acción, colaborará para la transformación del observador y la expansión de su capacidad de acción efectiva, acortando brechas respecto a una puntual y específica situación, generalmente del ámbito laboral o profesional.

Del mismo modo que señalamos la *generación de contexto** como condición esencial para la iniciación de un coaching, consideramos imprescindible un contexto de confianza y legitimación para abordar el trabajo con técnicas dramáticas. Esta forma de intervención requiere un aprendizaje profundo y el cuidado de la seguridad psicológica. Sobre todo al comienzo, cuando se movilizan muchas ansiedades relacionadas con el mirar y ser mirado por otros, verse, no ser visto o reconocido, exponerse a una evaluación, a los sentimientos negativos de otros, poner el cuerpo, desempeñar roles rechazados o de personajes repudiables, al ridículo, al descontrol, a equivocarse, a lo nuevo, a la expresión de los afectos, a lo erótico, al amor, al rechazo, al cambio, al «darse cuenta», etc.

Habiendo generado el contexto adecuado, es el coachee quien muchas veces termina sugiriendo auspiciosamente «¿por qué no hacemos una escena con...?». Esto se produce también como consecuencia del aprendizaje experiencial, que hace que, muchas veces, lo que no se comprende o es de difícil transmisión sólo con lo verbal, quede fácilmente comprendido después de una dramatización; también quedan imágenes, sensaciones, emociones que son más difíciles de olvidar y que involucran no sólo al protagonista.

En el caso del coaching grupal (trabajando con todo un equipo, por ejemplo), aun los que no dramatizan y quedan como observadores o público, están inmersos en la escena e involucrados por asociación, resonancia, identificación, y hasta por oposición, con los personajes o situaciones dramatizadas. Es en el momento de intervenir como auxiliares en la escena o en el *sharing* del cierre, cuando al compartir sus emociones, pensamientos e identificaciones, asumen también conciencia de sus dificultades y/o potencialidades en su rol profesional o laboral, detectando aspectos o cambios que es útil profundizar en beneficio personal y de la tarea.

---

* Ver Capítulo V.

Capítulo IX
Ética en el coaching

Quiero comenzar este capítulo con un relato. Es uno de mis relatos preferidos. No tengo referencias de su autor ya que ha sido transmitido por tradición oral, probablemente a través de los siglos y así ha llegado a mis manos.

El abad, el rabino y el Mesías

Érase un monasterio que a criterio de sus habitantes se encontraba en graves dificultades. La orden, muy poderosa en otros tiempos, había perdido sus abadías y a sus miembros, quedando reducida a una casa matriz con cinco monjes: el abad y cuatro hermanos. Estaba al borde de la extinción.

En el bosque que rodeaba al monasterio había una ermita, que el rabino de un pueblo vecino solía utilizar como retiro espiritual. En cierta ocasión, mientras meditaba desesperanzado sobre el futuro de su orden, el abad tuvo la idea de visitar la choza y pedirle al rabino algún consejo que permitiera salvar el monasterio. El rabino recibió al abad con alegría. Había entre ambos un mutuo reconocimiento. Pero cuando el abad le comentó el motivo de su visita, el rabino sólo pudo ofrecerle su comprensión.

–Conozco el problema –dijo–. La gente ha perdido su espiritualidad. Lo mismo sucede en la ciudad. Son también muy pocos los que vienen a la sinagoga.

Los dos sabios ancianos lloraron juntos. Luego leyeron pasajes de la Biblia y conversaron sobre cuestiones profundas y lo maravilloso de haberse conocido. Finalmente, el abad, a punto de partir preguntó:

–¿No hay nada que pueda decirme, ningún consejo que pueda

darme para salvar a mi orden?

–Lamentablemente no –respondió el rabino–. No tengo consejos para darle.

Después de un instante en silencio, agregó:

–Sólo puedo decirle que el Mesías es uno de ustedes cinco.

Cuando el abad llegó al monasterio, los hermanos lo rodearon y preguntaron ansiosamente qué había dicho el anciano.

–No pudo ayudarme. Platicamos, lloramos juntos y leímos las Sagradas Escrituras. Solamente, al despedirnos con un abrazo, dijo algo extraño que no alcancé a comprender... dijo que el Mesías es uno de nosotros.

Durante los meses siguientes, los monjes meditaron sobre las palabras del rabino y su posible significado. ¿El Mesías es uno de nosotros? ¿Cómo no hemos sido capaces de reconocerlo? ¿Quién podría ser? ¿Tal vez el Abad? ¡Sí!, si es uno de nosotros, sólo puede ser el padre abad que nos ha dirigido durante tantos años. ¡Aunque tal vez se trata del hermano cocinero! Todos sabemos que es una luz de nuestra orden. ¡Con seguridad no se refería al hermano administrador! El pobre está un poquito senil. Pero... pensándolo bien, aunque fastidie un poco con su chochez, casi siempre tiene razón y expresa verdades profundas. Tal vez, entonces, se refería a él. Pero sin duda que no al hermano Tomás, el sacristán; de ninguna manera. ¡Tomás es tan pasivo! Sin embargo, tiene el don misterioso de aparecer como por arte de magia si algo necesitamos. Tal vez entonces, Tomás es el Mesías. Sin lugar a dudas, el rabino no se refería a mí, que soy una persona común, simple y corriente. Pero, ¿y si hablaba de mí? ¿Si acaso soy el Mesías? Dios, que no sea yo. No puedo ser yo Tu enviado, ¿verdad?

En el curso de estas meditaciones, cada monje empezó a tratar a sus hermanos con respeto extraordinario. Y empezó a tratarse a sí mismo con el mismo respeto, ante la remota posibilidad de que fuese el Mesías.

La gente de la vecindad solía visitar el bosque donde estaba situado el monasterio. Descansaban bajo los árboles, paseaban

por sus senderos y algunos incluso entraban a meditar en la vieja capilla. Con el transcurrir del tiempo y casi sin darse cuenta, empezaron a percibir el aire de gran respeto que rodeaba a los ancianos monjes y alrededor había cierto poder o magnetismo que atraía. El monasterio recobró su antiguo ambiente de gozo desbordante. La gente comenzó a visitar el monasterio con más frecuencia y a traer consigo a otros para que conocieran ese lugar tan especial. Y éstos trajeron a otros más.
Los jóvenes, interesados, empezaron a conversar con los sabios monjes, hasta que un día uno de ellos solicitó permiso para ingresar en la orden. Luego siguió otro, y otro más. En pocos años, la orden volvió a florecer. En la iglesia volvió a escucharse el jubiloso canto de los monjes y el monasterio se convirtió en un vigoroso centro que irradiaba luz y espiritualidad.

El sentido de comenzar con este relato es que encierra, en su infinita sabiduría, la esencia de la que –en mi opinión– se nutre el proceso del coaching. Amor, respeto, integridad, honestidad, compromiso, impecabilidad, cooperación, son sólo algunos de los valores que deben observarse.

La ética (del griego *ethikos*) –dice el diccionario–, hace referencia a la moral y a las obligaciones del ser humano. Yo afirmo que hace a las actitudes, a la responsabilidad y a los valores con los que nos relacionamos con los otros y con el mundo.

El vínculo coach-coachee está fundado en la ética de los valores arriba mencionados. La raíz es el amor y el respeto hacia el otro como un legítimo otro. La integridad hace al vivir con dignidad, entendiendo la dignidad como el vivir de acuerdo con los valores que decimos sostener. Es honrar la palabra, honrar los compromisos. El compromiso genera confianza. El coaching es una relación de compromiso, confianza y de cooperación. Es una cooperación con compasión, mas no con complacencia.

La conceptualización en la que se fundamenta el coaching, su metodología y las herramientas con las que opera son muy poderosas. Son herramientas para la dignidad y el aprendizaje; para colaborar con el otro a que asuma el poder que está en él. No son herramientas para la manipulación del otro, no son elementos para tener poder *sobre* otro, ni para decirle qué debe hacer o cómo debe ser. Desde la ética del coaching, el sentido de aprenderlas no es para ocultarlas a otros como ventaja competitiva, sino para enseñarlas y compartirlas.

«Se arrodilló el discípulo para ser iniciado en el camino del conocimiento. Se acercó el maestro y le susurró al oído un mantra sagrado con la advertencia de que no se lo revelara a nadie. '¿Y qué ocurrirá si lo hago?', preguntó el discípulo. 'Aquél a quien lo reveles quedará libre de ignorancia –contestó el maestro–; en cambio tú quedarás excluido de este seminario.'
Apenas escuchó estas palabras, el discípulo salió corriendo a la plaza del mercado y congregando a una multitud en torno a él, repitió a viva voz el mantra sagrado para que lo escucharan todos.
Habiéndolo visto, sus compañeros discípulos regresaron rápidamente ante el maestro a quien contaron lo sucedido, pidiendo además que fuese expulsado del monasterio por desobediente.
El maestro sonrió compasivamente y dijo: 'Ese muchacho no necesita nada de cuanto yo pueda enseñarle. Con su acción ha demostrado ser ya un maestro con todas las de la ley'.»

El conocimiento que intentamos transmitir a lo largo de esta obra, más que en las herramientas, hace hincapié en su usuario. En su propio aprendizaje, en el desarrollo de competencias y en el vivir acorde con sus valores. Como en el cuento del abad y el rabino, nos referimos al Yo, al Tú y a ese Nosotros que significa y dignifica el *encuentro*.

El proceso de coaching hace referencia no sólo a los temas que abarca y a las conversaciones que mantienen coach y coachee; el concepto de *proceso* habla también de la interacción y la relación interpersonal entre ambos. Su naturaleza pertenece a la dimensión de la ética.

Capítulo X

Carta abierta para las nuevas generaciones de coaches

Estimados líderes, detectives, alquimistas:

«Un padre que da consejos, más que padre es un amigo» dice José Hernández en su magistral obra *Martín Fierro*. Luego de arduos meses de investigación y trabajo, siento que estoy llegando al final del recorrido de este texto que comencé ansiosamente esperando terminarlo. Quizás ahora, resistiéndome a ese impulso inicial, busco nuevos aportes que prolonguen este contacto. Debo aceptar la incompletud, no sólo la propia, sino también la de esta obra, ya que seguramente quedarán muchas cosas por decir y con certeza habrá nuevos aportes en el devenir de la teoría y la práctica del coaching.

Pensando en escenas, me imaginé un diálogo con mis alumnos en los cursos de formación, y no como un padre, sino como un colega y amigo, percibí que aún quedaban ideas, sugerencias y quizás consejos que quería compartir. No pretenden ser recetas. No todas son originales. Son profundamente personales y subjetivas. Intento siempre alentar a mis alumnos hacia la espontaneidad y la creatividad. En la práctica, cada aspirante a coach deberá encontrar su propia forma creativa. Parte del proceso de aprendizaje es respetar y saber incorporar y adaptar lo aprendido a una forma o estilo personal que les con-venga para sus diferentes ámbitos de aplicación.

Las sugerencias que siguen como último y desordenado aporte, representan o reflejan mi propio estilo, basado en el pluralismo y el compromiso.

Eviten los diagnósticos apresurados

Coaching es un proceso donde el coach es también un observador que debería estar abierto al conocimiento. A veces, la ansiedad impulsa a rotular rápidamente al otro limitando la observación, la visión y por ende el respeto por el otro en tanto persona. Eviten la ansiedad por «encontrar una solución». Ella sólo responde a lo insoportable de la incertidumbre y a la necesidad de tener el dominio y control. El riesgo, además, es que tenderemos, de allí en más, a tener una escucha selectiva limitante que «haga caer las fichas» de modo tal de ratificar nuestro pre-juicio. Picasso hablaba del ojo censor, el que sólo ve lo superficial. Uno no ve lo que es; uno ve lo que quiere. El observador es parte del fenómeno. Como coaches debemos aprender a respirar, observar, escuchar. El diagnóstico llegará con mayores detalles e indagación y, aún así, seguirá siendo *una* explicación, no *la* explicación.

«La verdad es una ilusión sin la cual una cierta especie no puede sobrevivir.»

F. Nietzsche

Trascender la técnica y confiar en la propia espontaneidad

Como guionista y director amateur de cortometrajes, aprendí de mis maestros que hasta los grandes realizadores que transgueden creativamente las recomendaciones para la filmación (por ejemplo, puestas de cámara), antes de hacerlo son profundos conocedores de las leyes en cinematografía y en sus comienzos se atuvieron estrictamente a ellas. Lo mismo ocurrió con artistas plásticos y de otras disciplinas, entre ellos los grandes surrealistas como Picasso o Dalí. El coach es un acompañante guía en un proceso de soplar brasas, colaborando en identificar y quitar obstáculos en el desarrollo y crecimiento del coachee. A pesar de enseñar que un coach no da consejos, debo confesar que en algunas, pocas oportunidades, transgredo esa regla (todo coach comete transgresiones).

Tomar decisiones por el coachee es una manera de perderlo como tal. Recordemos que una de las finalidades del coaching es la asunción de responsabilidad del coacheado frente a sus acciones. Sin embargo, frente a determinadas situaciones sugiero ciertas acciones cuando el consultante se encuentra muy estructurado en un patrón de conducta. Son pequeñas tareas para abrir enormes oportunidades. Como principiantes les sugiero aprender rigurosamente la técnica; luego, siendo más expertos, los invito a trascenderla confiando en vuestra propia creatividad.

Asuman responsabilidad y pasen por la experiencia de ser coachees

Así como alentarán al coachee a asumir responsabilidad; es decir, comprender cómo ellos mismos son un factor contribuyente en la situación que los aqueja, también el coach deberá ser un permanente observador de sí mismo frente al coacheado. El aprendizaje para ser coach no puede ser sólo intelectual; es experiencial y vivencial. El pasar por la experiencia de ser coacheado da verdadero conocimiento y acabada experiencia. Ser coachee es un paso elemental en el proceso de aprendizaje y entrenamiento para ser coach. Pero esta capacitación no finaliza con la certificación. Requiere continuar aprendiendo y una de las mejores oportunidades la ofrece el ser coacheado por otro con quien compartir y procesar las propias incertidumbres. Ese otro a quien elijan para ser vuestro coach, podrá ser alguien con mayor experiencia o un par o grupo de pares. En este sentido, les cuento que en mi experiencia he participado en un grupo de coaches autogestionado, con resultados espectaculares. Se trataba de un grupo de seis coaches, con cierta cantidad de años de experiencia, que nos reuníamos en forma quincenal. Habiendo generado el previo contexto de confianza, confidencialidad y respeto ante la diversidad de enfoques, construimos un espacio de encuentro donde podíamos exponer, sin miedo, nuestros propios miedos. También nuestros aciertos y errores. Rotativamente uno de nosotros se transformaba en coach de quien quisiera compartir alguna situación, y el resto éramos observadores con posibilidades de dar *feedback* al finalizar, tanto al coacheado como al coach. Esto era profundamente enriquecedor para todos.

CADA COACHEE ES UNA PIEZA ARTESANAL

Si bien hemos presentado una técnica y pasos de un proceso y aunque las brechas que expongan vuestros coacheados sean muchas veces similares a las de otros, afirmo que no hay coaching estandarizado. Intentar esquematizarlo sería contrario a su propio espíritu. El proceso del coaching se da en la relación coach-coacheado y ésta tiene una singularidad y un lenguaje propio, que requiere de la espontaneidad más que del protocolo a seguir. Cuando digo artesanal, digo «a medida» de cada coachee, considerando que aunque los hechos o las narrativas tengan similitudes, cada persona tiene un mundo interno diferente. Comprender y respetar esto hace a la esencia misma del coaching.

NO SE DESANIMEN ANTE UNA MOMENTÁNEA CEGUERA

El proceso de coaching es cíclico. Muchas veces pasarán por los mismos temas pero –como ya dijéramos– desde otro punto de observación. Habrá sesiones donde los descubrimientos serán deslumbrantes, y otros en que la sensación será de confusión e improductividad. Aunque cada encuentro se abre y se cierra en sí mismo, no deberán olvidar forma parte de un todo como proceso. Como tal, la oscuridad de una sesión puede ser el preludio de la iluminación de la siguiente. Construyan la historia. Sugiero tomar notas al finalizar cada sesión. No sólo tendrán la historia del devenir sino que les permitirá unir la última con la próxima, ahondando y avanzando en el proceso.

Alienten la expresión emocional

En general ocurre que ante una emoción del otro las personas tienden a calmar, o consolar, o a decir algo que inhibe la expresión (por ejemplo, «¡Pero cómo te vas a poner así por...!»). Lo hacen con la sana intención de ayudar para que el otro recupere el control de sí mismo y otras veces lo hacen desde la propia dificultad de tolerar y/o sostener la emocionalidad del interlocutor. Como coaches, deberán aprender a sostener la situación acompañando al coachee y alentándolo a expresar y profundizar sin temor. Es como si le dijeran: «estoy aquí, como un ancla que te ayudará a sostenerte. Quédate ahí donde estás, sigue conectándote con lo que sientes, y cuando puedas y como puedas, trata de expresarlo en palabras». A veces esto es dicho sin palabras, basta un gesto; tocando el hombro, dando la mano. No fuercen el contacto, pero no tengan temor de aproximarse al coachee. Muchas sesiones de coaching son más recordadas por el gesto que por el contenido. Una excelente herramienta es articular técnicas dramáticas. Por ejemplo, si el coachee llora o si tiene un dolor localizado en alguna zona corporal, podrán pedirle que le ponga palabras al estilo de: «si tus lágrimas hablaran, ¿qué estarían diciendo?». O, «pon tu mano sobre la zona que duele o molesta. Si esa mano fuese una esponja, ¿qué estaría absorbiendo?». Recuerden también que, para ser operativa, la catarsis requiere una elaboración; por eso, después de la expresión, es recomendable un espacio para la reflexión y el análisis.

Presten atención a sus propios sentimientos

El afuera se reproduce en el adentro. Lo que le pasa al coachee en sus relaciones interpersonales, probablemente tenderá a repetirse en el vínculo con el coach. Ésta es una idea que tomo prestada del concepto de contratransferencia en psicoanálisis y que adapto al proceso de coaching. Aquellos rasgos personales del coachee en relación con otros, también se harán evidentes en el espacio del coaching. Como coaches tendrán sentimientos contratransferenciales frente a las actitudes del coachee. Aconsejo prestarles mucha atención ya que serán sumamente reveladores y servirán de apertura a enriquecedoras indagaciones. Si durante la sesión sienten tensión, enojo, aburrimiento, confusión o cualquier otro sentimiento o sensación, no se molesten consigo mismos o con el coachee por sentir lo que están sintiendo. (Sí, estimados colegas, al coach también, por ser simplemente humano, le pasan estas cosas. ¿Acaso no nos pasa a veces hasta con nuestros propios hijos?) Acéptenlo como una oportunidad y seguidamente indaguen en la misma. Primero lo harán en un diálogo interno y luego –detoxificada– la compartirán productivamente con el coacheado. El primer paso es tratar de distinguir si esto que sienten es propio ya que –humanos somos– la preocupación, el aburrimiento, el enojo, etc., podría responder a algo personal que no tiene que ver con la narrativa del coachee. Hecha esta distinción y verificando que lo que sienten es producto del aquí y ahora de la sesión, podrán afirmar que lo mismo que sienten en relación con el coachee aquí adentro, les pasa a otros en el afuera.

Muchas veces les acontecerá que tendrán sentimientos (tristeza, bronca, etc.) que no sólo no son expresados por el coachee, sino que ni siquiera él mismo es consciente de ellos. ¿Cómo procesar y retroalimentar con estos sentimientos?* Eviten hacer «confesiones» contratransferenciales ni opiniones sin detoxificar o poniendo la responsabilidad en el otro.

Exprésense siempre en primera persona del singular. «Yo siento...». Si el coachee estuviera muy cerrado, su escucha será diferente si decimos «me siento excluido» que «hoy estás cerrado». Si se sintieran excesivamente demandados y abrumados también será de una mayor apertura decir «no sé cómo satisfacer tanta demanda» a expresar «eres insaciable». Hablar de este modo evitará la respuesta defensiva del coachee, ofrecerá la posibilidad de abrir diálogos más productivos y transparentes y evidenciará un deseo por parte de ustedes de mayor compromiso. Recuerden fundar sus expresiones

* Ver Capítulo IV, donde se desarrolla el tema de la columna izquierda.

en hechos, en observaciones. No hagan interpretaciones, inferencias ni conjeturas acerca de la motivación del coachee («quieres controlarme, intentas evadirte», etc.). Observen, escuchen, registren qué sienten y finalmente –como ya saben– tengan presente que las emociones son incuestionables. Siempre será de utilidad preguntar: «¿Será posible que esto que yo siento ahora, le pase o afecte a otros del mismo modo?». Las revelaciones serán sorprendentes.

SER COACH TIENE SALUDABLES CONSECUENCIAS EN CUANTO A LA PROPIA TRANSFORMACIÓN PERSONAL

No hace mucho me llamó por teléfono una persona que dijo haber participado en uno de mis grupos. Después de presentarse me preguntó si me acordaba de él. Ciertamente lo tenía presente. «Sí –le dije– y me asombra que tú todavía te acuerdes.» Escuché entonces una de las cosas más gratificantes y emotivas de mi vida. Me dijo: «¿Cómo no me voy a acordar?... ¡Fuiste la matriz de lo que muchos de nosotros somos hoy!».

Después de más de treinta años de práctica profesional en forma individual y algunos más coordinando grupos, me alegra seguir siendo apasionado y conmovido y con las brasas encendidas con mi tarea. Y esto acontece también gracias a mis pacientes y coachees. También ellos son sopladores de brasas, maestros, guías, que no sólo nos influyen: nos ayudan a aprender y a cambiar. De ellos aprenderán acerca de la vida, de los sueños, de la muerte, de las frustraciones, los logros, y de muchas cosas más. Aprovechen y déjenlos también ser maestros. Anímense también a decírselo, compartiendo con ellos cuando ocurra. Es un vínculo dialéctico de mutuo y enorme aprendizaje. Ellos también son la matriz de nuestras propias transformaciones.

José y Dión eran dos renombrados sanadores que vivieron en tiempos bíblicos. Ambos eran muy eficaces, aunque trabajaban de maneras y con estilos diferentes. Aunque contemporáneos, *nunca tuvieron un encuentro y se consideraban mutuamente rivales. Fue así durante años, hasta que José, el más joven enfermó espiritualmente. Desesperado y sintiéndose incapaz de sanarse a sí mismo partió en peregrinación buscando la ayuda de Dión. Durante su travesía, descansando en un oasis durante la noche, trabó conversación con otro viajero quien, al escuchar el propósito de su viaje, se ofreció como guía para asistirlo en la búsqueda de Dión. Partieron juntos y en medio de su larga expedición el hombre mayor reveló su identidad. Él era Dión, a quien José buscaba. Acto seguido, pasado el asombro de José, Dión lo condujo a su casa, invitándolo a permanecer allí. En un principio, ante el pedido de Dión, José fue su sirviente, luego aprendiz y finalmente un colega de igual jerarquía. Así vivieron y trabajaron juntos muchos años. Años después, anciano y enfermo, Dión le pidió a José que escuchara una confesión. Comenzó recordando su encuentro en el oasis cuando José, enfermo, viajó en busca de su ayuda y cómo José había considerado milagroso aquel encuentro. Ahora, enfrentado a su pronta muerte, Dión quebró el silencio de tantos años confesando que también para él fue milagroso. También él, en aquel entonces, había caído en una sombría desesperación, sintiéndose vacío espiritualmente e incapaz de curarse a sí mismo. Aquella noche del encuentro, había iniciado su propio viaje en busca de ayuda del famoso sanador llamado José.* *

Irvin Yalom, en *El don de la terapia*,[1] reproduce este mismo relato y agrega: «Me impacta como un relato profundamente iluminador acerca del brindar y el recibir ayuda, acerca de la honestidad y la duplicidad y acerca de la relación entre sanador y paciente. Los dos recibieron una poderosa ayuda, pero de manera

* Relato adaptado de *El juego de abalorios* de Hermann Hesse, Sudamericana, Buenos Aires, 2002.

1. Emecé, Buenos Aires, 2002, p. 29.

diferente. José, el más joven, fue criado y cuidado, recibió las enseñanzas y el apoyo de un padre. El otro sanador recibió la ayuda que brinda el servir a otro (...) ¿Qué habría ocurrido si la confesión en el lecho de muerte hubiese sucedido antes, (...) si sanador y buscador se hubiesen unido para enfrentar juntos las preguntas sin respuesta?».

Finalmente, y tratándose de una carta, también me dirijo a ti, querido lector.

Este libro es el resultado de un viaje. De una peregrinación que un día comenzó con miedo y entusiasmo, y al que ahora arribo satisfecho y expectante. Durante el proceso creador atravesé tormentas, y también descansé en oasis. Tuve guías, maestros, aliados y acompañantes. Aprendí, y tengo el privilegio de enseñar y seguir aprendiendo. Me declaro en la mente del aprendiz. Es una odisea de vida que aún continúa con la brasa encendida.

Confío en que tomarás este texto sencillamente como la descripción de experiencias, exploraciones personales, herramientas, y aprendizajes de viaje de un peregrino. En el convencimiento de que no está todo dicho, que aún hay territorios por descubrir, te invito a seguir explorando, con la convicción de que sólo lo podrás hacer a través de tu propio vivenciar.

Gracias por acompañarme hasta aquí.

Bibliografía

Araujo, Ane, *Coach, um parceiro para o seu sucesso,* Editora Gente, SP, Brasil, 1999.

Ardiles, Hugo, *La energía en mi cuerpo,* Agedit, Buenos Aires, 1989.

Argyris, Chris, *Overcoming Organizational Defenses,* Allyn and Bacon, USA, 1990.

— y Donald Schon, *Theory in Practice,* Jossey Bass, San Francisco, 1974.

Benton, Debra, *Secrets of a CEO Coach,* McGraw-Hill, 1999.

Brounstein, Marty, *Coaching and Mentoring for Dummies,* IDG Books Worldwide, USA, 2000.

Covey, Stephen, *Los siete hábitos de la gente altamente efectiva,* Paidós, México, 1996.

Echeverría, Rafael, *Etapas y procedimientos del coaching ontológico,* Newfield Consulting, 1998.

—, *La empresa emergente,* Granica, Buenos Aires, 2000.

—, *Ontología del lenguaje,* Dolmen, Santiago de Chile, 1995.

Flaherty, James, *Coaching, Evoking Excellence in Others,* Butterworth Heinemann, USA, 1999.

Flores, Fernando, *Inventando la empresa del siglo XXI,* Hachette, Santiago de Chile, 1989.

Frankl, Victor, *El hombre en busca de sentido,* Herder, Barcelona, 1994.

Goleman, Daniel, *La inteligencia emocional,* Javier Vergara, Buenos Aires, 1996.

Kofman, Fredy, *Metamanagement,* 3 tomos, Granica, Buenos Aires, 2001.

Maturana, Humberto, Introducción a *El cáliz y la espada* de Riane Eisler, Cuatro Vientos, Santiago de Chile, 1990.

— y Francisco Varela, *The Tree of Knowledge*, Shambhala Publications, USA, 1987.

O'Neill, Mary Beth, *Coaching. Treinando executivos*, Futura, Sao Paulo, 2001.

Senge, Peter, *La Quinta Disciplina*, Granica, Buenos Aires, 1992.

—, con R. Ross, B. Smith, Ch. Roberts, A. Kleiner, *La quinta disciplina en la práctica*, Granica, Barcelona, 1995.

Stephenson, Peter, *Executive Coaching*, Prentice Hall, Australia, 2000.

Viscott, David, *El lenguaje de los sentimientos*, Emecé, Buenos Aires, 1997.

Wolk, Leonardo, «Cuerpo-Mente, una concepción integradora», *Revista Argentina de Psicodrama y Técnicas Grupales*, SAP, N° 1, Buenos Aires, 1986.

—, «Estrategias de acción en el ámbito empresarial», Revista *Alta gerencia*, N° 2, Ediciones Interoceánicas, Buenos Aires, 1991.

Yalom, Irvin, *El don de la terapia*, Emecé, Buenos Aires, 2002.

COLOFÓN AL ARTE DE SOPLAR BRASAS

Sobre el coaching ontológico

Rafael Echeverría, Ph.D.

Celebro la aparición de este libro sobre coaching de Leonardo Wolk. Se trata de una contribución importante en el desarrollo de esta disciplina emergente. Muchos se preguntan: ¿para qué sirve el coaching? ¿En qué consiste? ¿Son todas las propuestas de coaching equivalentes?

Éstas y otras preguntas similares son abordadas por el propio Wolk. Sin embargo me parece interesante no darlas por cerradas prematuramente pues las respuestas que ellas convocan están muy lejos de haber agotado todo lo que puede decirse sobre el papel que en el futuro asumirá la práctica del coaching. En rigor se trata de preguntas abiertas cuyas respuestas se desarrollan simultáneamente con el crecimiento de la propia disciplina. En la medida en que el coaching se expande, descubrimos formas diferentes de contestarlas a la vez que aparecen nuevas preguntas. Como sucede en otras áreas, el coaching al evolucionar nos sorprende mostrándonos aportes y facetas que inicialmente éramos incapaces de observar. El coaching es todavía una disciplina en pleno proceso de invención de sí misma. Cada nuevo aporte, cada nuevo libro que sobre él se escribe, lleva consigo la posibilidad de modificarnos la mirada.

EL ORIGEN DEL COACHING

El coaching nace en el campo de los deportes. En él registra una muy larga historia. El coach deportivo es la persona que se hace cargo de un deportista o de un equipo deportivo, planteándose como objetivo alcanzar en ellos niveles máximos de desempeño. Cuántas veces no hemos visto lo que parecería ser el resultado milagroso del trabajo de un coach deportivo. Luego de algún tiempo de haberse hecho cargo de un individuo o de un equipo de desempeños a todas luces mediocres, el coach los lleva a exhibir desempeños extraordinarios, desempeños que están por encima de lo esperado, desempeños que inicialmente parecían imposibles de alcanzar. El coaching como disciplina genérica, como un oficio que se extiende más allá de los deportes, surge de esta experiencia. Busca llevar a terrenos diferentes el tipo de resultados que, en su campo, generaba el coach deportivo.

¿Qué hace, en rigor, el coach deportivo? ¿Cuál es el carácter de su intervención? Ello es relativamente simple. Se trata de una intervención al servicio de la generación de resultados precisos, trátese de la superación de una marca y de garantizar un triunfo frente a un adversario. Para lograrlo, el coach deportivo busca identificar los factores que interfieren en el resultado a alcanzar y desarrollar las condiciones y competencias que faciliten su logro. Ello representa por lo demás una primera y adecuada definición de la tarea de todo coach. Para acometerla, el coach deportivo corrige algunos hábitos inadecuados que obstruyen el desempeño de quienes tiene bajo su responsabilidad, desarrolla un conjunto de competencias individuales como de coordinación de acciones de los miembros de un equipo, diseña estrategias tanto defensivas como ofensivas para enfrentar al adversario y, por sobre todo, busca elevar la confianza en sí mismos y la motivación de sus deportistas para el logro de los resultados esperados. Para estos efectos, dispone de un espacio particular para realizar sus intervenciones: el entrenamiento.

Tal como lo hace en sus ensayos un director de orquesta, el coach deportivo prepara pacientemente a sus deportistas para asegurar en ellos nuevos patrones de comportamiento y una disposición emocional adecuada para alcanzar los objetivos propuestos.

El coach deportivo, al igual que el director de orquesta, tiene algunos elementos a su favor. Entre ellos, el hecho de que el desempeño que busca está acotado tanto en el tiempo como en el espacio.

Los resultados que éste debe alcanzar se tienen que manifestar en un tiempo y lugar delimitados. Por otro lado, el resultado que de él se espera debe lograrse en un juego cerrado, de reglas claras y fijas. Además, en la medida en que el tiempo de desempeño es corto, la motivación necesaria para alcanzar los objetivos sólo requiere durar el tiempo que dura el juego y se focaliza en la manera cómo se lo juega. Por último, el que los deportes incluyan un fuerte elemento de competencia ayuda a la labor del coach y facilita la motivación.

El coaching como disciplina genérica, capaz de ejercerse más allá de los límites de los deportes, busca imitar y repetir en otras áreas los resultados que suele exhibir el coach deportivo. Sin embargo, en la medida en que más nos alejamos del campo de los deportes, los nuevos desafíos que comienzan a enfrentar los coaches son cada vez mayores. No obstante lo anterior, es importante advertir que surgen muchas modalidades diversas de coaching que siguen fuertemente apegadas al patrón propio del coach deportivo, obteniendo resultados ya sea muy superficiales o simplemente efímeros. Cuando se busca alcanzar resultados más profundos y estables en dominios de mayor complejidad y extensión, el modelo del coaching deportivo muestra severas limitaciones. Con todo, muestra un camino a seguir.

Tras la búsqueda de un coaching genérico

Siguiendo el camino mostrado por los coaches deportivos se comienza a explorar un tipo de actividad que, más allá del campo delimitado de los deportes, permita llevar a individuos, equipos y organizaciones a superar de manera significativa sus niveles presentes de desempeño y dirigir sus acciones hacia nuevos umbrales de posibilidades.

El coaching como actividad genérica busca desarrollar una disciplina capaz de servir a la identificación y disolución de los obstáculos que los seres humanos solemos encontrar en el logro de nuestras aspiraciones. En las empresas y, en general, en las organizaciones, se busca poder incrementar la efectividad que exhibe el desempeño de sus miembros, equipos y procesos. Se considera que si los gerentes y directivos pudiesen aplicar con sus propios equipos las competencias que exhibe un coach, ello podría desencadenar niveles de desempeño inimaginables.

Sin embargo, el tipo de competencias que se requiere para sostener un desempeño bastante más complejo, como el que exige la organización, requiere de un nivel de profundidad que el coaching deportivo no es capaz de proveer. El tipo de motivación necesaria para acompañar desempeños que duran 8 ó más horas, todos los días laborales del año, no es aquella que logra generar el coach deportivo para un partido que sólo dura dos horas. Los problemas parecerían multiplicarse. Las frustraciones aumentan al aplicarse linealmente una práctica diseñada para un contexto muy diferente.

Más allá de las organizaciones, el coaching también comienza a ser visto como un camino para la superación de las múltiples limitaciones que los individuos encuentran en sus vidas. La existencia nos confronta una y otra vez con innumerables obstáculos en la consecución de nuestras aspiraciones. Reiteradamente nos enfrentamos a la experiencia de no saber cómo hacer las cosas para llegar a donde queremos, para alcanzar el nivel de satisfacción y de felicidad que en un momento soñamos que era posible.

Los ejemplos son infinitos. Los encontramos en nuestra relación de pareja, en la relación que establecemos con nuestros padres, con nuestros hijos, con nuestros amigos. Los vemos en la manera como nos desenvolvenos en el trabajo y en las relaciones que establecemos con nuestros jefes, con nuestros colegas, con nuestros subordinados. Pero más profundamente todavía, encontramos estos obstáculos en la relación que establecemos con nuestra propia vida y con nosotros mismos. En varias oportunidades nuestra vida parecería vaciarse de sentido y nos sentimos desorientados, sin saber qué hacer, ni adónde ir. Si simplemente hubiera alguien que pudiera mostrarnos por qué hemos llegado a ese punto y cómo salir de él. En algún momento el sacerdote nos ayudaba a reencontrar el camino. Más adelante acudimos al psicólogo. Hoy tenemos fundadas sospechas de que ellos sean capaces de entregarnos las respuestas adecuadas. Buscamos un coach. ¿Será éste capaz de ayudarnos? ¿Seremos capaces los coaches de responder a estas demandas?

El coaching ontológico

Las preguntas anteriores plantean importantes desafíos y éstos han sido encarados de muy diversas maneras, produciendo una amplia y diversa gama de propuestas de coaching. Personalmente me inscribo en una corriente que se llama a sí misma *coaching ontológico*. Lo central en ella reside en el supuesto de que para responder adecuadamente a estas preguntas, es necesario replantearse muy radicalmente la pregunta sobre el significado de ser un ser humano. Llamo a esta pregunta, siguiendo al filósofo alemán Martin Heidegger, *la pregunta ontológica*. Ésta es una pregunta que ya había sido contestada hace alrededor de 25 siglos, cuando en la Grecia antigua un grupo de filósofos, entre los que destacan Sócrates y, muy particularmente, Platón y Aristóteles, respondieran a ella, inaugurando un tipo de respuesta que conforma lo que llamo *el programa metafísico*.

Desde entonces, nos mantuvimos fundamentalmente fieles a las premisas que ellos establecieron en su respuesta. Considero que, desde hace ya algún tiempo, resulta necesario volver a hacerse esa pregunta y de revisar críticamente las premisas ofrecidas por la propuesta metafísica. Somos parte de una amplia corriente, inaugurada por Friedrich Nietzsche, que considera que la historia de la humanidad ha llegado a una encrucijada que exhibe el agotamiento del programa metafísico y por tanto la necesidad de clausurarlo para inaugurar un período muy distinto, sustentado en una interpretación radicalmente diferente sobre el fenómeno humano. Con ello se abre un nuevo ciclo en la historia de la humanidad que he llamado el período del *programa ontológico*.

La nueva respuesta a la pregunta por el sentido de lo humano la he articulado, a mi manera, en un discurso al que le he dado el nombre de «*ontología del lenguaje*». Múltiples otras propuestas apuntan en una dirección similar y se presentan bajo otros nombres. Soy parte de una amplia corriente que de manera sostenida está haciendo estallar los cimientos de un antiguo edificio para construir uno alternativo en su lugar. No hay un cambio más importante en la historia de la humanidad que aquel que transforma de manera radical nuestra concepción sobre nosotros mismos. De la interpretación que sustentemos sobre cómo somos, se deriva todo el resto de lo que pensamos y hacemos.

No es el caso de desarrollar en este texto mi particular respuesta a la pregunta ontológica. Baste simplemente destacar algunas de sus premisas y mencionar a algunas de las personas involucradas en su construcción.

Los seres humanos, como lo señalara Martin Buber, somos seres conversacionales. El tipo de ser que somos se constituye en las conversaciones que mantenemos con otros, con nosotros mismos y con el misterio de la vida. Quien logra acceder a nuestras conversaciones, logra asomarse al dominio misterioso e inasible del alma humana. En las conversaciones encontramos, por tanto, las claves para comprender mejor cómo somos cada uno, por qué tenemos los problemas que enfrentamos, cuáles son las raíces de nuestras alegrías y de nuestros sufrimientos y cómo podemos, eventualmente, abrirnos paso a una vida de mayor sentido y plenitud.

El lenguaje, uno de los componentes básicos de toda conversación, define y delimita, como lo señalara Ludwig Wittgenstein, una forma particular de vida. Con Wittgenstein se inaugura una nueva rama en la filosofía: la filosofía del lenguaje. Sin embargo, era necesario ir todavía más lejos y corregir el papel pasivo y meramente descriptivo que la propuesta metafísica le confería al lenguaje, al subordinarlo el predominio de la razón y a su búsqueda de verdades absolutas. Una contribución decisiva será realizada por el filósofo del lenguaje J.L. Austin al reconocer que el lenguaje, lejos de ser pasivo y descriptivo, es activo y generativo. A través de nuestras conversaciones transformamos el mundo y creamos nuevas realidades. Las conversaciones participan en la construcción de nuestras identidades, en la formación de nuestras relaciones personales, en la creación de posibilidades y de futuros diferentes. Fernando Flores fortalecerá la relación entre la pregunta ontológica planteada por Heidegger y los desarrollos de la filosofía del lenguaje.

Dado el carácter activo y generativo del lenguaje, los seres humanos estamos en un proceso permanente de transformación. Más importante que conocerse o descubrirse a sí mismo, por muy importante que ello pueda ser, es participar activa y responsablemente en el proceso de nuestra propia invención. El coaching ontológico sirve a este proceso.

La noción de competencias genéricas

La propuesta de la «ontología del lenguaje» implica el reconocimiento de un conjunto de competencias genéricas que forman parte del arte de la conversación. No importa dónde, cuándo o con quién conversemos, no importa de qué estemos hablando, no importa el idioma que utilicemos, toda conversación se sustenta en un conjunto delimitado de competencias. Ellas inciden no sólo en los resultados que alcanzamos a través de esas conversaciones. Nuestras competencias o incompetencias conversacionales nos constituye en el tipo de ser humano que somos y ello condiciona el tipo de vida que nos cabe esperar. «Nuestro carácter», decía Heráclito, «es nuestro destino». Hoy parafraseamos su sentencia y decimos, la forma particular de ser de cada individuo condiciona su existencia.

Por lo tanto, más allá de nuestras competencias técnicas específicas, los seres humanos operamos a partir de determinadas competencias genéricas que se expresan en la forma como conversamos. Muchas de ellas son abordadas en el texto que nos presenta Leonardo Wolk. Lo interesante de la noción de competencias genéricas es que una vez que esta noción es introducida, descubrimos que muchos de los obstáculos que encontramos en nuestro desempeño y en nuestra búsqueda por dar sentido a nuestra vida, encuentran en ellas su raíz. El trabajo del coach ontológico, por lo tanto, consiste en indagar e intervenir en este sustrato de competencias genéricas conversacionales. En rigor, el proceso de indagación y de intervención del coaching ontológico es bastante más complejo y requiere de otras nociones igualmente fundamentales. Sin embargo, lo dicho anteriormente apunta en la dirección que establece la diferencia entre este tipo de coaching y muchas otras modalidades de coaching que no son ontológicas.

El principio del carácter no lineal del comportamiento humano

Uno de los grandes saltos que permite inaugurar bases sólidas para un coaching genérico capaz de trascender el coaching deportivo, es el reconocimiento de un principio que he bautizado con el nombre de *«el principio del carácter no lineal del comportamiento humano»*. ¿Qué quiero decir con él?

Sostengo que los seres humanos encuentran límites en su capacidad de acción y de aprendizaje. El aprendizaje es una de las actividades más interesantes de las que somos capaces los seres humanos. La competencia de aprendizaje es la madre de todas las demás competencias. El aprendizaje es una acción dirigida a incrementar nuestra capacidad de acción. Quien ha aprendido a aprender puede aprender muchas otras cosas. Por tanto, si alguna competencia es importante es precisamente la competencia de aprender. El coach ontológico es, por sobre todo, un gran facilitador del aprendizaje. Su tarea es contribuir en facilitar el aprendizaje en quienes no saben cómo hacerlo. En tal sentido, el coach ontológico es un facilitador de los procesos de transformación de otros seres humanos, de sus procesos de autoinvención. Así como Sócrates, con su mayéutica, se concebía como un partero que apuntaba al desentrañamiento del ser, siguiendo la senda propuesta por Parménides, el coach ontológico, por el contrario, caminando por la senda sugerida por Heráclito, es un partero del devenir.

El principio al que apunto sostiene que los seres humanos no pueden incrementar lineal e indefinidamente su capacidad de acción. No pueden aprender linealmente cualquier cosa que se propongan. Tanto en su capacidad de acción, como en su capacidad específica de aprendizaje, encuentran límites, se enfrentan con obstáculos que le impiden alcanzar determinados resultados. La capacidad de acción y de aprendizaje no es continua ni homogénea.

Cuando nos preguntamos por los factores que inciden en el comportamiento de los seres humanos, podemos apuntar con facilidad a los que llamamos «los factores visibles del comportamiento humano». Entre ellos cabe mencionar, en primer lugar, determinadas predisposiciones biológicas. Algunos nacen, por ejemplo, con ciertos talentos para la música, las matemáticas, la articulación discursiva, la pintura, etc. En segundo lugar, podemos reconocer el importante papel de las competencias técnicas adquiridas a través del aprendizaje. Si queremos desempeñarnos adecuadamente en el manejo de un nuevo software, tomamos el manual correspondiente y lo aprendemos. En tercer lugar, cabe mencionar a las herramientas y la tecnología. Cambiando de herramienta logramos resultados que antes no nos eran posibles. Por último, reconocemos también la importancia de factores emocionales, los que podemos agrupar en lo que llamamos motivación. Nadie pone en duda que el nivel de motivación incide en el desempeño de individuos y equipos. Lo anterior hace pensar que si encontramos dificultades en obtener determinados resultados, bastaría tocar algunos de estos factores para disolverlas.

Ello, sin embargo, no funciona así. Muchas veces nos encontramos con serias dificultades para obtener un determinado resultado e intuimos que ninguno de estos factores es capaz de conducirnos a su disolución. Sucede que estos problemas son a menudo los que más afectan nuestra existencia, los que más nos importan. Veamos un ejemplo.

Llevo varios años arrastrando una muy mala relación con mi hijo. Dudo mucho que tenga que ver con una predisposición biológica, tanto mía como de él. He procurado cambiar varias cosas en mi comportamiento y aprender nuevas modalidades de relación y hasta la fecha nada ha funcionado. Veo que otros padres tienen una muy buena relación con sus propios hijos y me digo por tanto que ello es posible. No me digan que me falta motivación. Estaría dispuesto a perder un brazo si tuviese la opción de mejorarla. Nada afecta tan profundamente mi vida como esta mala relación. Y, sin embargo, no sé qué hacer. Estamos frente a un caso típico, en el que se abre la posibilidad para entrar en interacción con un coach ontológico.

Postulo que más allá de aquellos factores visibles que afectan el comportamiento, existen también otros factores, normalmente invisibles a la mirada espontánea, que juegan un papel determinante en nuestro desempeño. Los llamo «los factores ocultos del comportamiento humano». Ellos son fundamentalmente dos: el tipo de observador que somos y los sistemas a los que pertenecemos. Observador y sistema.

Todo ser humano hace sentido de lo que acontece de una determinada manera y, por tanto, interpreta el mundo a su manera. Su comportamiento está determinado por el sentido que le confiere al acontecer. Dado cómo interpreta lo que está pasando, va a actuar de una o de otra forma. A la vez, dada la interpretación que lo guía, una amplia gama de acciones quedan también excluidas de su umbral de posibilidades. Nadie interpreta el acontecer exactamente de la misma forma. Cuando miramos al mundo o cuando nos miramos a nosotros mismos, observamos lo que vemos con los lentes particulares del tipo de observador que somos. Nuestra mirada espontánea, sin embargo, asume que observamos lo que está allí y no suele reconocer que esa mirada está condicionada por el tipo de observador que somos. En los hechos, observamos el mundo no sólo de acuerdo a como éste es, sino también de acuerdo a como nosotros somos.

Una premisa fundamental de «la mirada ontológica» consiste en reconocer la noción de observador y en aprender a observar no sólo el acontecer del mundo, sino también el tipo de observador que somos, tanto uno mismo como los demás. Sin la noción de observador «la mirada ontológica» se clausura. Uno de los principales obstáculos que, por lo tanto, fija límites en nuestra capacidad de desempeño es el tipo de observador que somos: los factores lingüísticos, emocionales y corporales desde las cuales observamos el mundo. Mientras no modifique el tipo de observador que hoy soy, seguirá habiendo cosas que me serán imposibles de realizar.

Uno de los objetivos más importantes del coaching ontológico consiste en disolver los obstáculos que hoy encuentro en mi capacidad de desempeño a través de un cambio del tipo de observador que soy. Sin embargo, ese nuevo observador encontrará pronto sus propios límites y se verá nuevamente desafiado a disolverlos. No existe un observador que no tenga límites.

Nuestra capacidad de acción no sólo está condicionada por el tipo de observador que somos. De manera igualmente efectiva estamos también condicionados por los sistemas en los que participamos y por las posiciones que ocupamos en su interior. Todos participamos de múltiples sistemas y cada uno de ellos contribuye a constituirnos en un tipo particular de observador y promueve en nosotros determinadas acciones, inhibiendo otras. No es extraño reconocer que al cambiar de un sistema a otro, vemos aparecer comportamientos que en el sistema anterior eran inimaginables o vemos desaparecer comportamientos que antes nos eran habituales. Los sistemas a los que pertenecemos juegan un papel determinante en nuestro comportamiento.

La noción de sistema, al igual que la noción de observador, no son parte de nuestra mirada espontánea. Nuestra mirada espontánea observa eventos, secuencias de eventos, incluso relaciones entre un evento y otro. Pero no percibe la estructura que conforma la específica configuración de relaciones de los sistemas de los que somos parte. Como sucede con la noción del observador, la mirada sistémica requiere también ser «cultivada». No cabe esperar que ella surja de manera espontánea, al menos en una gran mayoría de los seres humanos.

Si deseamos disolver determinados obstáculos en nuestro comportamiento y, particularmente, si buscamos estabilizar esos nuevos patrones de comportamiento, muchas veces no basta con la transformación del tipo de observador que somos. Es también necesario hacer cambios en los sistemas en los que participamos. De lo contrario, nuestros cambios personales serán de muy escasa duración. Parte importante de la mirada ontológica consiste en tener en «la mira» no sólo el cambio del observador, sino también la transformación del sistema. La mirada ontológica, por tanto, no sólo introduce un observador del observador, sino que introduce también a un observador sistémico que reconoce que los individuos se constituyen en el conjunto de relaciones en las que participan y en su particular configuración o estructura.

Al introducir la noción de sistema corremos el riesgo de caer en una determinismo estructural asfixiante. Si el sistema determina nuestro comportamiento, ¿cómo podemos liberarnos de tal determinación? ¿No estamos acaso condenados a ser como el sistema nos impone? De ninguna manera. Uno de los principios básicos de la propuesta ontológica sostiene que el condicionamiento que tanto el observador como el sistema ejercen sobre cada ser humano suele, a su vez, permitir acciones conducentes a la modificación tanto del observador como del propio sistema. Al tomarse tales acciones y realizar tales transformaciones, los seres humanos tienen la capacidad de generar posibilidades que previamente les estaban cerradas. Ello es parte central de la práctica del coaching ontológico.

El modelo del observador, la acción y los resultados

Todo lo anterior está vaciado en un modelo que ha sido un sello característico de nuestra propuesta. Lo he bautizado con el nombre de «*el modelo del observador, la acción y los resultados*». Gráficamente lo presentamos de la siguiente manera:

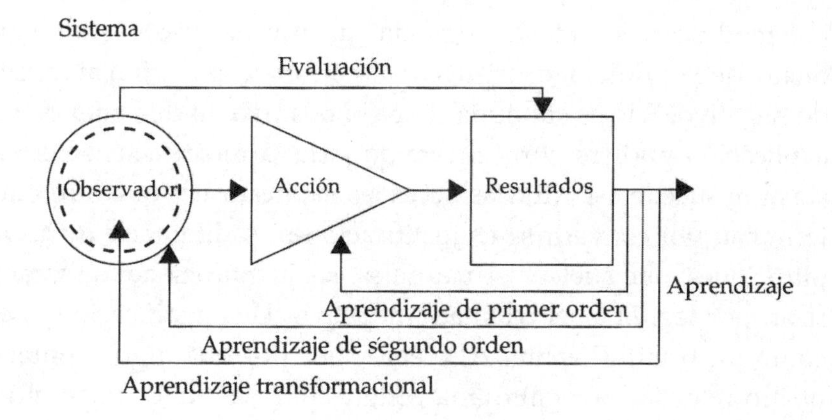

Se trata de un modelo-guía para el trabajo que debe acometer el coach ontológico.

El modelo se lee de atrás para adelante. Éste sostiene que cualquier resultado que obtenemos en nuestras vidas, sea a nivel laboral o personal, remite a las acciones que condujeron a él. Si deseamos entender o modificar esos resultados la primera gran clave está en referirlos a las acciones que los generaron. Muchos factores inciden en las acciones que tomamos. Algunos de estos factores son fácilmente reconocibles. Son los factores visibles del comportamiento humano. Otros factores, sin embargo, suelen ocultarse. Se trata precisamente de lo que llamamos los factores ocultos del comportamiento humano. Estos factores nos permiten reconocer que las acciones que adoptamos no son arbitrarias. En último término, ellas remiten al tipo de observador que somos y a los sistemas de los que formamos parte.

Una vez que un observador actúa y al hacerlo genera resultados, como buen observador que es, éste observa los resultados que produce y los evalúa. La evaluación puede conducirlo por distintos caminos. Si los resultados lo satisfacen es muy posible que siga actuando de la manera como antes lo hacía. Sin embargo, si los resultados no lo satisfacen, se le abren distintas alternativas. La primera de ellas es simplemente resignarse. Ello equivale a decirse «¡Qué le voy a hacer!», «¡No hay nada que yo pueda hacer para que modificarlos!», etc. La segunda, que muchas veces es un ingrediente de la primera, consiste en buscar una explicación al resultado negativo. Ello es sin duda un paso positivo. El disponer de una explicación pudiera abrir el camino para la rectificación. Pero no siempre sucede así. Muchas veces las explicaciones que ofrecemos terminan por convertirse en justificaciones. A diferencia de las explicaciones, que suelen ser neutrales, las justificaciones se caracterizan por legitimar el resultado negativo. Una justificación opera como un tranquilizante. Al creer saber por qué algo aconteció, puedo retornar por tanto a la resignación. Me digo, «Con el jefe que tengo, ¡cómo podría esperarse algo diferente!», «Siendo como soy, ¡qué otra cosa podría hacer!», etc.

Existe sin embargo una tercera opción. Ella surge cuando asumimos el compromiso de modificar el resultado negativo. Con ella se abre el dominio del aprendizaje. Lo interesante es el reconocimiento de que el dominio del aprendizaje tiene a su vez diversos caminos. Siguiendo en este punto a Chris Argyris, a quien Leonardo Wolk trae en su obra en múltiples oportunidades, hay un primer camino que llamamos el «aprendizaje de primer orden». Se trata de un aprendizaje dirigido directamente a expandir mis repertorios de acción y por tanto dirigido al casillero de la acción al interior del modelo. Suele ser una de las modalidades más habituales de aprendizaje. Busca responder, sin más, a la pregunta ¿qué debo «hacer» para obtener un resultado diferente? O, a la inversa, ¿qué debo dejar de «hacer»?

Un segundo camino de aprendizaje reconoce la posibilidad de no intervenir directamente al nivel de la acción, sino de dirigir el aprendizaje al casillero del observador. Este segundo camino entiende que, para modificar las acciones, es preciso modificar previamente el tipo de observador que somos. Lo llamamos un «aprendizaje de segundo orden». Ello puede implicar muchas cosas. Entre otras, el alimentar al observador que somos con un conjunto de nuevas distinciones para que pueda ver lo que hoy no ve y, a partir de ello, tomar las acciones que hoy no puede. Éste es un procedimiento habitual en la práctica del coaching ontológico. Pero, cuidado. El aprendizaje de segundo orden puede también ser bastante superficial. Cuando vamos a la universidad, por ejemplo, realizamos un aprendizaje de segundo orden. Se nos enseñan nuevas distinciones que nos permiten ver cosas que antes no veíamos y actuar de una manera que antes no podíamos. Cuando aprendemos el uso de un nuevo software, o cuando se nos enseña un nuevo juego, también solemos adquirir nuevas distinciones y por tanto se produce un determinado cambio del observador.

Sin embargo, en el centro del observador que somos hay un «núcleo duro» y, por lo general, muy estable. Él está conformado por diversos elementos (distinciones, juicios, emociones, posturas, etc.) que definen una manera particular de estar-en-el-mundo. Una determinada manera de pararse en la vida, una forma particular de hacer sentido de lo que nos acontece y de la cual derivan patrones estables de comportamiento. *En este núcleo duro reside lo que llamamos el alma humana, esa forma particular de ser que nos caracteriza a cada individuo y que llevamos con nosotros de una situación de vida a otra. Allí reside lo que también llamamos nuestra particular «estructura de coherencia».*

Cuando el aprendizaje penetra en el núcleo duro del observador, una nueva modalidad de aprendizaje se inaugura. Lo llamamos «aprendizaje transformacional». Ello implica la transformación de las coordenadas estables y habituales del observador. Modificar ese núcleo duro, alterar nuestra estructura de coherencia, tocar y ayudar a modificar el alma de otro ser humano es el objetivo último que encierra la posibilidad del coaching ontológico.

La interacción de coaching, sin embargo, no siempre nos conduce allí. Muchas veces los problemas que el coach debe enfrentar pueden resolverse sin que se requiera llegar tan lejos. Otras veces, el mismo coach limita el alcance de su intervención por circunstancias diversas. En algunas oportunidades, es el coachado quien establece esos límites. Pero, al menos teóricamente, éste es un objetivo posible y muchas veces incluso necesario de la interacción de coaching. Ninguna otra modalidad de coaching, más allá del coaching ontológico, tiene la capacidad de llegar tan lejos.

¿Termina con ello el trabajo del coach ontológico? De ninguna forma. Como lo he planteado con anterioridad, el cambio del observador, con sus diferentes niveles de profundidad, suele ser muchas veces tan sólo un primer paso. Para lograr estabilizar esa misma transformación, el coach ontológico muchas veces sabe que el cambio del observador es condición para un cambio todavía mayor: la transformación del sistema. De no tocarse el sistema, el coach sabe que es posible que los cambios logrados a nivel del observador, puedan revertirse y quedar en la nada. El sistema puede forzar el retorno de los mismos comportamientos que procuraron ser modificados. Ése es, por lo demás, el destino de muchos programas de capacitación en las empresas. Los cambios introducidos a nivel del observador, duran una o dos semanas y luego todo retorna al operar habitual del pasado.

El debate sobre el aprendizaje transformacional

La expresión «aprendizaje transformacional» tiene ya una historia relativamente larga. Uno de sus pioneros es el destacado profesor de la Universidad de Harvard, Edgar Schein, que inaugurara en la década de los 50 este nuevo campo de investigación. Sus estudios se inician explorando las experiencias de «lavado de cerebro» que chinos y norcoreanos practicaron en soldados norteamericanos durante la Guerra de Corea. Una vez liberados, muchos de esos prisioneros se mostraban como apasionados defensores de sus carceleros y del tipo de régimen político que ellos propiciaban. ¿Cómo llevaron a cabo esta profunda transformación? ¿Cómo producir transformaciones tan radicales en los individuos? Esas fueron las preguntas iniciales de Schein.

El número de marzo de 2002 de la *Harvard Business Review* nos trae una entrevista a Edgar Schein que lleva como título «Edgar Schein: The Anxiety of Learning». Interesante lectura. Después de casi 50 años de investigaciones en los que muchos otros se han incorporado a la senda abierta por Schein, éste llega a la siguiente conclusión: el aprendizaje transformacional sólo resulta de un proceso que es inevitablemente doloroso y, con todo, es muy difícil o casi imposible de alcanzar. Luego de 50 años, el programa del aprendizaje transformacional parecería terminar en bancarrota.

¿Comparto la conclusión de Schein? De ninguna forma. Pero para argumentar en contra de su conclusión es conveniente recordar las célebres palabras del filósofo francés, Gaston Bachelard, «un problema sin solución suele ser un problema mal formulado». La clave, nos está diciendo Bachelard, está en el observador.

Quienes conocen mi trabajo, «saben» que las conclusiones de Schein son cuestionables. Saben, por un lado, que muchos de ellos han tenido una experiencia de aprendizaje transformacional, como saben, asimismo, que la han tenido muchos otros a su alrededor (y, por tanto, saben que es posible). Lo han visto. Por otro lado, saben también que el proceso de aprendizaje no ha sido traumático, aunque no siempre resulta fácil y aunque pueda haber requerido de algunos momentos difíciles en los que hemos debido mirarnos descarnadamente. Por el contrario, se trata normalmente de un proceso exuberante, marcado por el entusiasmo y el asombro. Y saben que ello forma parte indesmentible de su experiencia, pues lo han vivido. Pero para entenderlo, es necesario poner en cuestión algunas de las premisas de la propuesta «oficial» del aprendizaje transformacional. Hay, por ejemplo, que re-situar el papel de los factores emocionales y la importancia de la positividad en el aprendizaje. La propuesta de aprendizaje transformacional que propugnamos, se sustenta en una experiencia opuesta en relación a aquella que desencadena las investigaciones de Schein y que sigue la senda de la deprivación y la negatividad. Nuestra propuesta trae la presencia del cuerpo a la experiencia pero no para torturarlo o disciplinarlo, sino para liberarlo del cautiverio que nosotros mismo le hemos impuesto. Profundiza las nociones del observador y del sistema. Reconoce el carácter no-lineal de la acción humana y del propio aprendizaje. Busca sustentar esos aprendizajes en los «quiebres» del propio aprendiz, en aquellas situaciones que éste (y no otros) percibe como limitantes y obstruyentes y en el impulso que él (y sólo él) es capaz de conferirle a la posibilidad de realizar sus sueños. En ese sentido, nuestra propuesta busca impulsarlo hacia un nivel más alto de aspiraciones, hacia una mayor ambición en la conquista de sus propias metas. Se trata, por tanto, de una práctica que lo invita a generar un tipo de trabajo, un tipo de relaciones personales y un tipo de vida, mejores.

En otras palabras, hoy acompaña al aprendiz, no con la figura siniestra del «torturador», del interrogador del campo de prisioneros, o del disciplinador impositivo que busca disolver los límites que contienen y guían los actos de voluntad de todo individuo (figuras todas centrales del aprendizaje transformacional de Schein y –hay que decirlo en voz alta– de algunas otras variantes de la propia práctica del coaching), sino con la figura amorosa del coach que opera desde el respeto y la construcción de confianza.

La importancia del espacio ético-emocional

No es posible terminar estas observaciones sin abordar el tema al que el punto anterior nos precipita. No hay nada más importante en la práctica del coaching ontológico que propiciamos, que el carácter del espacio ético-emocional desde el cual la interacción de coaching requiere realizarse. No hay tampoco nada más urgente que la reiteración de este punto.

La propuesta de la ontología del lenguaje busca instaurar una nueva ética de convivencia entre los seres humanos. La diferencia fundamental entre el espacio metafísico y el espacio ontológico no es cognitiva, por muy importantes que sean las diferencias en sus supuestos conceptuales. La diferencia fundamental está en el dominio de la ética. Lo he dicho una y otra vez. Lo reitero una vez más. La diferencia fundamental reside en la manera como nos relacionamos con los demás y en la manera como nos relacionamos con nosotros mismos.

El espacio ontológico coloca en su centro la noción del respeto hacia los demás, el respeto frente a la diferencia. Hasta ahora lográbamos conversar relativamente bien, mientras más parecido a nosotros era el otro. La comunicación funciona (y no sin problemas) mientras mayor sea aquello que tenemos «en común» con nuestros interlocutores. Pero no sabemos conversar y comunicarnos con quienes son o piensan de manera muy diferente de como nosotros somos o pensamos. La diferencia nos ha conducido históricamente por el camino de la mutua descalificación e invalidación. Llegamos incluso a la demonización. Y cuando la conversación no es posible, su lugar es inevitablemente tomado por las múltiples modalidades que asume la violencia. Ésta ha sido la lógica que ha guiado hasta ahora a la historia de la humanidad. Sin embargo, si queremos evitar la destrucción de nuestra especie y del planeta, hoy estamos obligados a rectificar esta senda. La capacidad de violencia que hoy hemos acumulado es capaz de aniquilarnos a todos. Hay momentos en que parecería que nos precipitamos hacia un final apocalíptico. Tenemos que detenernos.

La clave para hacerlo está en el respeto. El respeto entendido, siguiendo libremente a Humberto Maturana, como la aceptación del otro como diferente, legítimo y autónomo. El coaching ontológico se realiza desde allí. Su gran poder y su capacidad para producir resultados sorprendentes reside en el reconocimiento de la importancia de este espacio ético-emocional. Para lograr tales resultados, es indispensable contar con todo el impulso que al proceso de transformación es capaz de conferirle la persona que está siendo coachada. Desde cualquier otro lugar, el poder de la propuesta ontológica se ve directa o indirectamente comprometido.

Las distinciones y competencias ontológicas son sin duda muy poderosas. Pero nada garantiza que este poder no pueda ser utilizado para maltratar, para humillar o para manipular a otros. Por desgracia, los ejemplos abundan. Hay muchos que, hablando jerga ontológica y haciendo uso de algunas de las distinciones y competencias que esta propuesta desarrolla, las utilizan para su propio engrandecimiento, para el lucimiento personal o para imponerle a los demás sus propios puntos de vista. En la medida en que ello sucede, terminan por hacer daño y por comprometer el conjunto de la propuesta. En rigor, siguen al interior de una lógica metafísica, bucando imponerle a los demás sus supuestas «verdades», y utilizando para ello un envoltorio ontológico. Son ontológicos por fuera y metafísicos por dentro. Su peligro no sólo reside en el daño que realizan, sino también en el hecho de que comprometen la esperanza que levanta la propuesta ontológica.

El poder mayor de la propuesta ontológica, por tanto, no está en sus distinciones, postulados y principios, no está en sus desarrollos teóricos y de competencias. El mayor poder de la propuesta ontológica reside en la capacidad de construir con el otro un espacio ético-emocional basado en el respeto, la confianza y el compromiso irrestricto de servicio.

La práctica del coaching ontológico es una práctica fundamentalmente ética. Nada es más importante en ella que la preservación irrestricta del espacio ético desde el cual requiere realizarse. Cualquier factor que pueda distraer el compromiso de respeto del coach con el coachado requiere ser corregido. Siendo una práctica ética –y precisamente por serlo– el coaching ontológico es una práctica amoral. El coach ontológico no está allí para juzgar o condenar al coachado según sus particulares criterios morales. Está allí para procurar hacer sentido del otro, para comprenderlo, más allá de las diferencias individuales que existan entre el coach y el coachado. Está allí para procurar servirlo en logro de sus aspiraciones frustradas más profundas. Su único límite es que los objetivos que el coachado busca servir con su propia transformación expandan a su vez el respeto como modalidad de convivencia.

Weston, 15 de septiembre de 2003.

Acerca del autor

Leonardo Wolk es fundador y Director de Leading Group, empresa consultora que implementa cursos de entrenamiento en *coaching ejecutivo y organizacional* así como programas de *desarrollo de competencias gerenciales* para la construcción de equipos de alto rendimiento.

Obtuvo su Licenciatura en Psicología en la Universidad de Buenos Aires y cursó estudios complementarios en pensamiento sistémico, coaching ontológico, psicodrama, aprendizaje organizacional y técnica y dinámica de grupos, entre otros.

En su rol de docente participó como invitado en los cursos del Organizational Learning Center de la Argentina (ITBA); ha dictado clases en el Posgrado en RR.HH, cátedra Comportamiento Organizacional (UCES), en la Cátedra Técnica y Dinámica de Grupos (UBA), y ha sido Profesor Titular en el MBA de Recursos Humanos de la Universidad del Salvador (USAL), Cátedra de Negociación.

En carácter de consultor externo, colaboró activamente en la implementación y diseño de los cursos de desarrollo gerencial de Leading Learning Communities Inc. en Argentina.

Sus programas de Coaching, Liderazgo y Aprendizaje Organizacional han sido desarrollados en la Argentina, Estados Unidos, Dinamarca, España, Brasil, México y Paraguay. En ellos participaron empresas y organizaciones tales como *Telecom Argentina, Emerson Process Management, Molinos Río de la Plata, Sociedad Comercial del Plata, BBVA Banco Francés, Ferrum-FV, Banco Columbia S.A., Pelikan, Bosch, Garbarino, Nextel Argentina, Boehringer Ingelheim, Telecom Internet, UOLSinectis, Red Bull S.A., Telecom Italia Mobile (TIM), TIM Perú, Hewitt Associates y VF Latin America*, entre otras.

Participó como panelista y expositor en encuentros nacionales e internacionales en temas vinculados con su especialidad y es autor de varios trabajos en la materia. Desde 1988 desarrolla investigaciones en nuestro país y en el exterior acerca de la teoría y práctica de los grupos, liderazgo, coaching y trabajo en equipo.

Desde 1973 ejerce también como psicoterapeuta grupal y psicodramatista.

Sus direcciones:

info@leadinggroupla.com
www.leadinggroupla.com